岡 山 文 庫

181

飛翔と回帰

国吉康雄の西洋と東洋

小 澤 善 雄

日本文教出版株式会社

岡山文庫・刊行のことば

岡山県は古く大和や北九州とともに、吉備の国として二千年の歴史をもち、遠くはるかな歴史の曙から、私たちの祖先の奮励とそして私たちの努力とによって、現在の強力な産業県へと飛躍的な発展を遂げております。

小社は創立十五周年にあたる昭和三十八年、このような歴史と発展をもつ古くして新しい岡山県のすべてを、〝岡山文庫〟（会員頒布）として逐時刊行する企画を樹て、翌三十九年から刊行を開始いたしました。

以来、県内各方面の学究、実践活動家の協力を得て、岡山県の自然と文化のあらゆる分野の、様々な主題と取り組んで刊行を進めております。

郷土生活の裡に営々と築かれた文化は、近年、急速な近代化の波をうけて変貌を余儀なくされていますが、このような時代であればこそ、私たちは郷土認識の確かな視座が必要なのだと思います。

岡山文庫は、各巻ではテーマ別、全巻を通すと、壮大な岡山県のすべてにわたる百科事典の構想をもち、その約50%を写真と図版にあてるよう留意し、岡山県の全体像を立体的にとらえる、ユニークな郷土事典を目指しています。

岡山県人のみならず、地方文化に興味をお寄せの方々の良き伴侶とならんことを請い願う次第です。

目　次

表紙・図49　逆さのテーブルとマスク　Upside Down Table and Mask
扉・国吉康雄

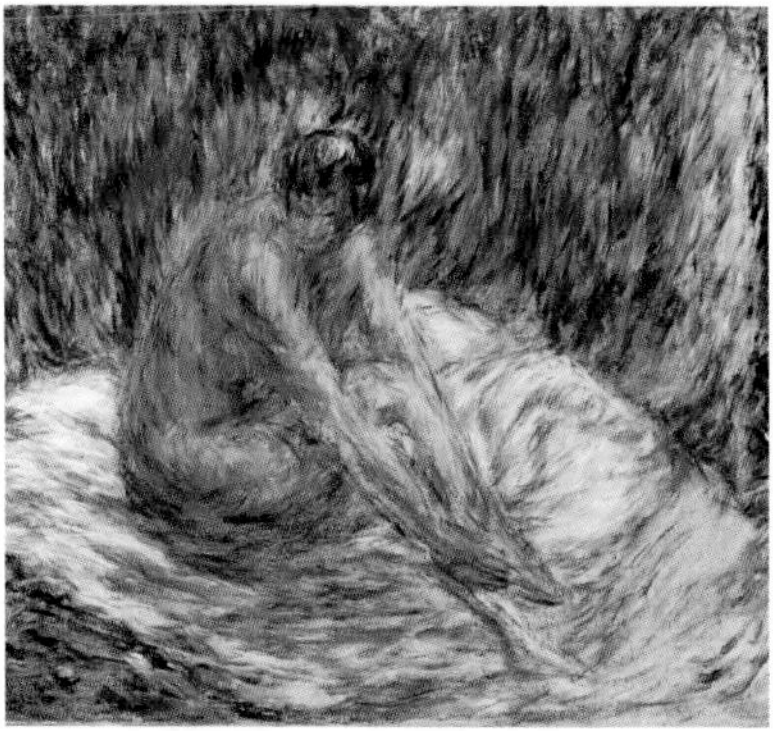
図5　坐る裸婦　　1918年　油彩
国吉康雄美術館

図4　自画像　1918年　油彩
国吉康雄美術館

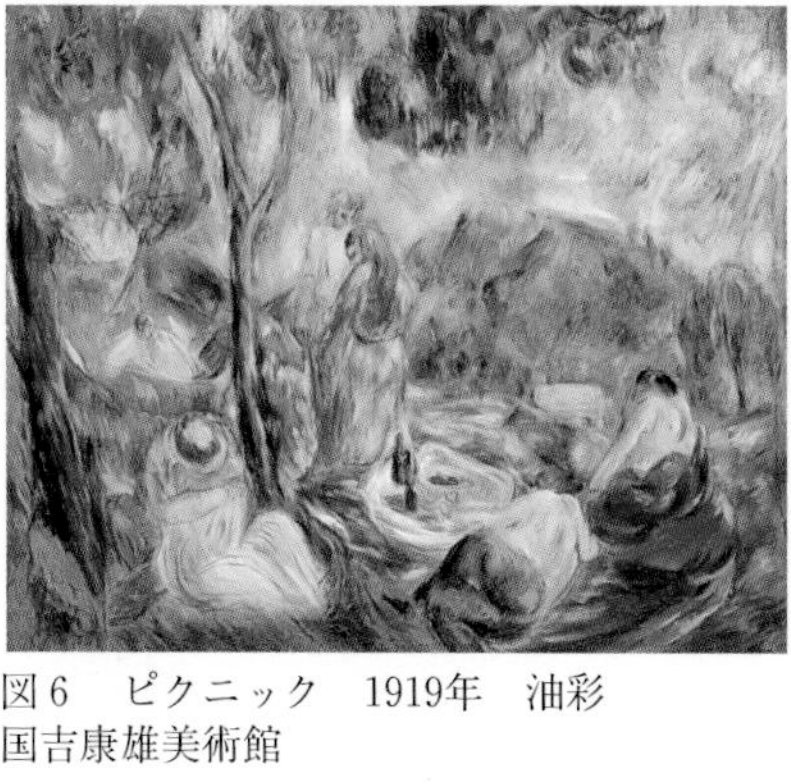
図6　ピクニック　1919年　油彩
国吉康雄美術館

図7　果物のある静物　1920年　油彩　国吉康雄美術館

図9　鶏小屋　1921年　油彩
国吉康雄美術館

図8　漁村の風景　1920年　油彩
国吉康雄美術館

図10　野性の馬　1921年　油彩　国吉康雄美術館

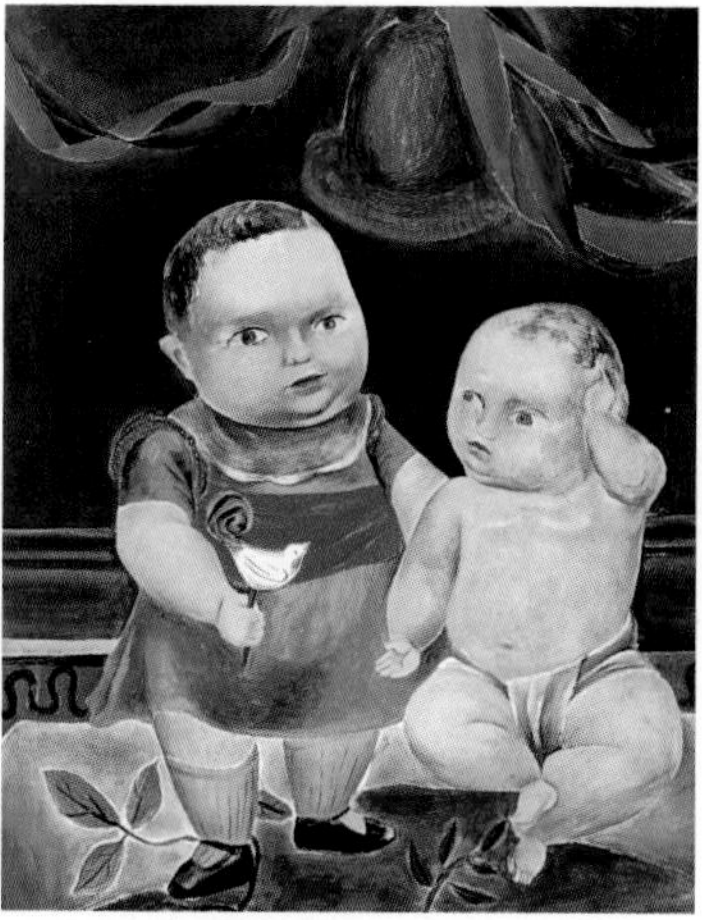
図12　二人の赤ん坊　1923年　油彩　国吉康雄美術館

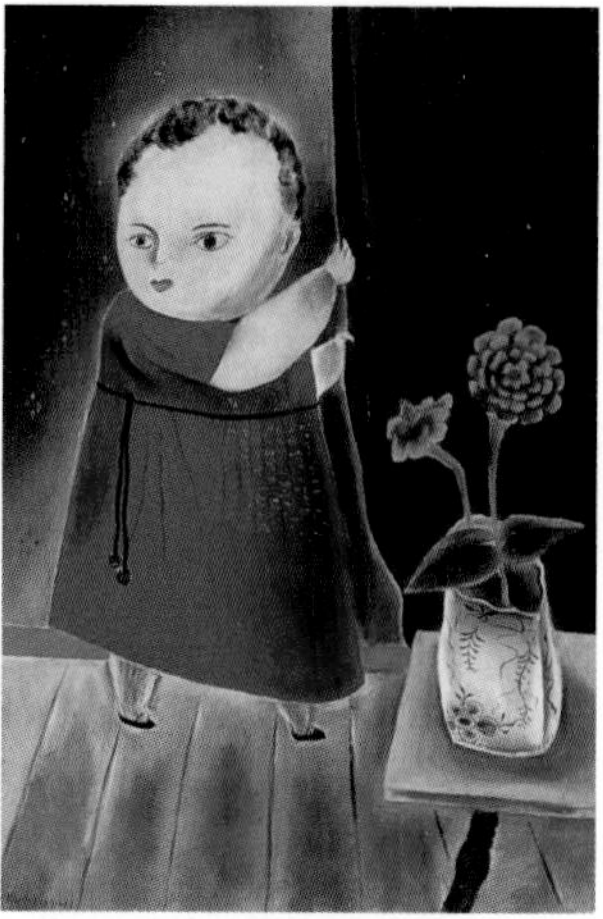
図11　カーテンを引く子供　1922年　油彩　岡山県立美術館

16　化粧　1927年　油彩
吉康雄美術館

図13　水難救助員　1924年　油彩
国吉康雄美術館

図22　ロバのいる風景　1928年　油彩　岡山県立美術館

図28　椅子の上のロールパン　1930年　油彩　国吉康雄美術館

図27　花瓶の花　1930年　油彩　国吉康雄美術館

図32　日本の張り子の虎とがらくた　1932年　油彩　国吉康雄美術館

図30　休んでいるサーカスの女　1931年　油彩　国吉康雄美術館

図39　もの思う女　1935年　油彩
国吉康雄美術館

図40　デイリー・ニュース　1935年
油彩　Cincinnati Art Museum, The Edwin and Virginia Irwin Memorial

図43　バンダナをつけた女
1936年　油彩
国吉康雄美術館

図45　西瓜　1938年　油彩　国吉康雄美術館

図58　制作中　1943年　カゼイン　国吉康雄美術館

図56　くつろぎ　1942年　油彩　国吉康雄美術館

図59　夜明けが来る　1944年　油彩　岡山県立美術館

図57　スージー　1943年　カゼイン　国吉康雄美術館

飛翔と回帰―国吉康雄の西洋と東洋―

プロローグ

(1)

今から百年あまり前に、岡山に一人の男の子が生まれました。そして四十年ほど前に、ニューヨーク市で、癌のために亡くなりました。この人の名は国吉康雄。岡山市の出石町に生まれ、十七歳までを生家で過ごし、一獲千金を夢見てアメリカに渡った、その当時の多くの日本の人々が夢見た道を実行に移した人でした。しかし、ほとんどの日本人がアメリカにかけた夢が破れて帰国したり、不本意なままにアメリカに住み続けていたのに比べて、国吉康雄は、強靭な意思と目的を持って、アメリカで画家となり、それも超一流の名声を得たのみならず、アメリカ画壇をリードする指導者の一人として、アメリカ絵画史上に不滅の足跡を残しました。

国吉康雄のことは、日本ではあまり知られておりません。十七歳まで過ごした郷里の岡山でさえ、その名を知る人は多くはありません。岡山は、数多くの有名人を輩出しておりますし、国吉が十七歳で岡山をあとにしてから、故郷を訪れたのはただ一度、一九三一年から一九三二年のごく僅かの期間だけだからです。また、国吉康雄がアメリカで活躍した時期は、日米関係が悪化する一方の時代であり、日米関係の悪化と、その結末としての太平洋戦争の時代に反比例するかのように、国吉康雄はその名を高め、名声を欲しいままにしていったという、日本人にとっては極めて皮肉な国吉の画家としての業績が、日本における理解と評価を極めて低いものにしてしまいました。

しかし、一九七〇年代になると突然、国吉康雄は、日本の美術関係者の関心を集めるようになります。しかし、この時も決して理解された上で評価されたわけではありませんでした。戦前にアメリカで活躍した日本人画家の絵として、日本の美術市場に持ち込まれ、他の日本人画家と同じように、鑑賞の対象としてではなく、投機の対象として扱われました。生涯に三百点あまりの油彩しか描かなかった画家の作品が投機の対象になった時、どのような事が起こるかは容易に想像ができます。そして、事態は予想通りに起こりました。国吉康雄の絵画は、当然ほとんどアメリカにあったのですが、驚くほどの数の作品が、投機を目的とする日本人画商に買いまくられ、またたく間に、価格は十倍二十倍と跳ね上がって行きました。そして、そのほとんどが日本に持ち込まれました。

国吉康雄の絵が日本に持ち込まれたからといって、それが日本人の目の届く所に展示されるようになったかというと、実際にはあまりそうではありません。そうした作品の多くは、画商から投機を目的としたコレクターの手にこっそりと渡り、またその作品は、転売に転売を重ねてますます価格が上昇して行きました。そして、その大半は鑑賞されることなく倉庫に保管されているという状態です。

バブルの崩壊という社会現象は、国吉康雄の絵画をさらに人の目から遠い所に置くことになりました。日本に入った国吉康雄の絵は、そんなわけで所在が不明のものが少なくありません。しかし、岡山の人々は幸いな立場に置かれています。と言うのは、岡山県立美術館が、予算の許す限り国吉作品を購入して公開展示している事と、岡山市に本社を置くベネッセコーポレーションの先代社長福武哲彦氏が、国吉康雄の作品収集を始めて、社員の情操教育のために社内公開を断行し、そのコレクションの充実にともなって、新社屋の建設を機に現社長が国吉康雄美術館を開館して一般公開に踏みきるという英断をなさったからです。また倉敷市にある大原美術館も国吉の代表的名作を所蔵しています。

このように、まだ日本では無名に等しく、その評価も、アメリカ美術の潮流の中で理解しなければわからないという複雑な事情の下にある国吉康雄の作品が、岡山県には沢山集まりました。また、たった一度帰国した時に、親戚や友人に描き与えた作品も少しながら残っています。

私がこの本を書こうと思ったのは、アメリカ美術を研究している学徒の一人として、国吉康雄の事を、彼の郷里である岡山の人々にできるだけ正しく理解してもらいたいという事と、少し足をのばせばすぐ本物の作品に接する事ができる岡山の人々に、まず国吉康雄の作品を鑑賞して頂きたいと思うからです。そのため、この本に収録した図版は全て岡山にある作品で、すぐに本物を見に行けるものに限りました。そして、じかに国吉の作品に接して、自分自身の目で鑑賞して頂きたく思います。

美術作品の鑑賞が、つまるところは見る人の感性の問題であるとは言っても、国吉康雄はアメリカで画家になり、日本ともヨーロッパとも違ったアメリカという国の美術界で第一人者になった人ですから、それなりにアメリカの美術についての知識や、国吉康雄の辿った道を知っておく方が、理解を助ける事になるのは当然です。そういった知識を持たずに直接絵を見る事は、ある意味ではとても危険な鑑賞の仕方になる可能性があります。先に書きましたように、一九七〇年代に国吉の絵は日本の美術コレクターの間でブームとなりました。それは国吉康雄の絵がアメリカ絵画として評価されたのではなく、日本で制作していた洋画家や、フランスで制作していた日本人画家の作品などが、日本の美術市場に商品として出回った後、毛色の変わった日本人で幻の画家であった国吉康雄の作品に人気が集中した、という現象であり、アメリカ美術史の理解や、アメリカで国吉と同じ時代に活躍した多くの優秀な画家達の作品には誰も目を向けませんでしたし、現在もその状態にはかわりありません。

美術作品は投機の対象とされる宿命を担っていますが、国吉康雄の場合、こうした扱われ方は、二重にも三重にも不幸な結果をもたらしています。私はこの本で、こうした国吉が被った不幸な誤解をできるだけ取り除いて、読者の方が、国吉の作品の前に立った時に、この画家が表現しようとしたものをストレートに受け止めていただけるような情況を作り出す助けになればと願っています。

(2)

国吉康雄の人と作品については、日本で十分に紹介されていないだけでなく、幾重にも重なり合った複雑な事情が、その理解を一層難しいものにしている事は、先に述べた通りです。ですから、秩序立てて国吉康雄について考える時、あるいは作品を鑑賞する時、幾つかのキーポイントを心にとめておく事が大切だろうと思います。それは次の三点に要約されると思います。

(1)国吉康雄は、日本で生まれ十七歳まで日本で育った、という事。そして六十四歳で死去するまで四か月ほど日本に帰った以外日本では生活していない、という事。すなわち、国吉康雄は、現在の学校制度で言えば、高校二年生で中退してアメリカに渡り、アメリカで絵を学び、画家になった人だという事です。国吉康雄は、法律的には日本人でありながらも、絵の修業にしても、物の考え方にしても、アメリカで学んだ事や、アメリカで思考した事の方が時間的にも、量的にもはるかに多く、日系米人とみなすのが適切だという事実です。

(2)それ故、国吉が日本について語る時、その根幹となっているのは、岡山市出石町で暮らした、十七歳までの生活であり、そこでの生活経験と思考がそのほとんどであり、大人の画家としての一九三一年から一九三二年にかけての数か月は、日本に滞在した日系米人の経験にしか過ぎないという事です。すなわち、国吉が日本で生活したのは、少年期から青年期に入るまでの十七年間だけだという事です。この事は、国吉が自分の夢や幻想を絵画に表現する時に、とても重要であると思います。また国吉が晩年に近い頃に書いたり語ったりした日本に関する事は、一九三一—三二年の日本訪問の時の日系米人としての見聞や、アメリカの新聞、雑誌を通じての報道にもとづくものであり、決して、日本人としての国吉の発言ではない、という事です。この区別は、面倒な理屈を並べているように思われるかもしれませんが、本当に国吉康雄の人と作品を知ろうとする時、とても重要なキーポイントであると思います。その事についてはまたいずれ触れる事になるでしょう。

(3)国吉康雄は、絵という国際語で私達に自分の考えや思いを語りかけてきます。芸術という国際語は、音楽にしても、絵画にしても、彫刻にしても、世界中の人々に直接語りかける事のできる利点を持っています。すなわち人類共通の言語だといって良いでしょう。芸術の素晴らしさの一つです。しかし、この言語には、方言もあります。ほとんどの意味はストレートに分かるのですが、その表現に方言が混じると、ちょっと分からなくなる場合があります。国吉の芸術には方言が混じっています。ですから、アメリカの美術の中では共通語であっても、日本人からみれば方言で表現している場合も少なくないのです。この事については、各作品や時代について述べる時に、具体的に説明してみたいと思います。

本来ならあとがきに書くような事をまずはじめに書いたのは、この本を読み進めていただく前にできるだけ多くの人に、国吉康雄の人と作品に真正面から取り組んでいただきたいと思っているからに他なりません。岡山は国吉康雄の生まれ育った所ですし、立派な美術館が多くの作品を収集、展示している所です。岡山の人々は国吉を誇りにしてよいと思います。また同じようにアメリカ各地の一流美術館も国吉康雄の作品を大切にして、誇りを持って展示しています。そうした美術館を訪れたアメリカ人達は、アメリカで画家になった日系米人の国吉の絵を、アメリカ人の絵として誇りを持って鑑賞しているのです。私は、岡山の人にとっても、アメリカ人にとっても、誇りに思えるような国際画家国吉康雄について、できるだけ正確な資料を使って説明してみたいと思います。どうか、気楽にお読み下さい。そして、本物の絵の前に立ってみて下さい。実物は、すぐあなたの近くに展示されています。

生家跡記念碑（金谷哲郎作　賛国吉康雄）

第一章　東洋から西洋へ

国吉康雄は明治二十二年（一八八九年）、岡山市中出石町（現在の出石町一丁目七十九番地）に、生まれました。父は雑貨商であったとも、人力車夫の頭であったとも、また不動産業に携わっていたとも言われていますが、百年以上前の事をそれほど詳しく知る必要もありません。まず、中流階級とまではいかない家庭の子であったという事でしょう。生家跡には一九九三年に岡山市の手で、生誕地記念碑が建立されました。岡山生まれの彫刻家金谷哲郎氏によって制作された、牛の背に乗った少年の姿のステンレス鋼の作品が、万成石の台座の上におさまっています。とても愛らしく、また国吉の初期作品の特徴をよく捕らえた作品です。国吉が十七歳まで過ごした家は建て替えられてしまいましたが、この碑の立っている場所は、まぎれもなく国吉が生きていた場所なのです。

国吉康雄は、国吉宇吉、以登夫妻の長男として生まれました。国吉自身は、自分の生い立ちについて、それほど人にも語っていませんし、書き残してもいません。最初の妻であったキャサリン・シュミット（一八九八―一九七八）は、一九四八年の二月末にロイド・グッドリッチが、国吉の伝記執筆のために行ったインタビューで、国吉から聞いた事として、次のように述べています。

「ヤス（国吉は康雄という名から通称ヤスと呼ばれていました）は、一人っ子で、とても待ち望まれていた子供でした。両親は彼が生まれるまではかなり裕福だったので、子供が授かるようにとあらゆる神社仏閣にお参りをして祈願したそうです。そうして生まれた彼は、わがままに育ちました。日本人の男の子は、わがままに育てられるものだとはいえ、彼の場合は特別にわがままに育てられたのです。」

この事が、事実かどうかはわかりませんが、国吉自身が語った事の伝聞として残っている家族についての記録はこれだけです。つまり、国吉は自分が生まれるまでは家は裕福であり、長男としてわがまま一杯に育ったのだという事を妻のキャサリンに語ったのでしょう。それは、逆に言えば、国吉が生まれてからの家は、そんなに豊かではなかったという事でもあるわけです。

国吉とキャサリンは、大恋愛の末に一九一九年に結婚し、一九三二年に離婚しています。十三年間の結婚生活で、キャサリンが知った国吉の性格は、女性に対して服従を強いるものであったといいます。つまり、国吉は子供の頃からわがまま一杯に育てられ、特に当時の日本人男性の特徴として、女性が男性に服従するのは当然の事だという考えを持っていた、そしてこれが離婚の原因だったというわけです。国吉がそれほど亭主関白だったのかどうかはわかりません。というのは、キャサリンは、友人達が揃って認めているように、心優しい女性であると同時に、自立心に富んだ、聡明、そして雄弁なモダンガールであり、リベラルな社会運動にも顔を出して発言する進歩的な一流の女性画家であったからです。また、離婚を申し出たのはキャサリンで、国吉はむしろ思い止まって欲しいと頼み込み、一度は自殺するとさえ言ったほどに、キャサリンと別れたくなかったようです。しかし、これも今から六十年以上も前の話ですし、犬も食わないという夫婦の間の事ですから、本当の所はわかりません。ただ、離婚した後も、二人は友人として親しく付き合い、キャサリンが再婚した相手の弁護士アーヴィン・シューベルトは、国吉の顧問弁護士でもあったという、いかにも芸術家らしい間柄でした。

国吉家の一族の中に、芸術家の血が流れていたかどうか、という事や、国吉が日本で成長していく過程で、どれほど美術作品などに接する機会があったか、といった事についても、これをはっきりとさせる資料はあまり見当たりません。ベネッセコーポレーションの持つ国吉康雄美術館には、国吉家ゆかりの方から購入したという雑多な資料が保管されていて、その中には、恐らく一族の誰かが子供の頃に描いたのであろうスケッチブックなどが残されていますが、その技量はなかなかのものです。しかし、それが一族の誰のものであったかは特定できていません。また、この資料の中には手帳が残っていて、ここには簡単な事ばかりですが、英語でキリスト教会関係の事が書かれたものも入っています。これも一族の誰のものなのかわかりません。

アメリカで国吉が超一流の画家として認められ、その評価を不動にしたのは、一九四八年にホイットニー美術館が、それまでの規則を変更して、現存画家の回顧展を開催する事にして、国吉をその第一回の画家に選んだという事実でした。むしろ国吉の回顧展をしたいがためにそれまでの規則を変えてしまったというのが真相です。ホイットニー美術館は、前身であるホイットニー・スタジオ・クラブの時代から、アメリカ美術だけを対象として、アメリカ芸術家の育成とコレクションの充実に努めてきたユニークな美術館です。現在はニューヨーク市内及び周辺都市に分館も開設して、現代アメリカ美術を知る上では欠かすことのできない場所になっています。このホイットニー美術館が、現存画家回顧展の第一回に国吉康雄を選ぶとともに、館の総力をあげて、国吉作品の所在と計測、データ収集をはじめました。全米各地の美術館への協力を呼び掛けることはもとより、国吉が専属契約を結んでいたダウンタウン画廊の協力を得て、出来る限り詳しく、正確な国吉康雄の画業を記録しようとしたのです。

それとともに国吉の正確な伝記を書いておく事も必要になり、それを担当したのが、当時ホイットニー美術館のアソシエート・キュレーターであったロイド・グッドリッチでした。グッドリッチは、その後ホイットニー美術館の館長をつとめた、アメリカ現代美術研究の第一人者であるのみならず、一般のアメリカ美術の啓蒙と普及にも尽くし、今日のアメリカ美術界の隆盛を築き上げた功労者の一人です。そしてまたグッドリッチもかつて画家になることを夢見て、一九一六年にアート・スチューデンツ・リーグに入学した国吉の同級生の一人でもあったのです。いわばアメリカ人でもっとも早くから国吉の友人の一人であったグッドリッチが、国吉の伝記を書くという役回りになったわけで、お互いに気楽に何でも話し合える仲でしたから、回顧展の準備も順調に進みました。新聞や雑誌に回顧展のために国吉作品の所蔵者を捜しているという広告を出してみたりして、思わぬ所から思わぬ作品が現れて来る事もありました。こうして集まった作品に関する情報は、グッドリッチと助手をつとめたロザリンド・アーヴィン女史が直接コレクターの所へ出向いたり、あるいはホイットニー美術館に持参されたものを、計測したり、特徴をこまかく記録したり、入手経路について尋ねたり、細部にわたって調査をして記録して行きました。

そうした作品に関する記録とともに、国吉に関して書かれた新聞や雑誌の記事も丹念に集められました。複写機の無かった時代のことですから、こまかな批評までタイプライターで打たれて記録されました。そうした準備がある程度整った時点で、グッドリッチは、国吉自身とのインタビューを行いました。前に書いたように国吉とグッドリッチは、三〇年来の友人であり、学生時代に一緒に夏を過ごしたり、語り合ったりしてきた仲間です。親友といってもいい二人は、しかし、何度も正式なインタビュー形式で会っては、アーヴィン女史に一部始終の速記を委ね、話をしました。そんなに親しかったグッドリッチが、何故それほど長時間国吉に会って話を聞かねばならなかったか、という事は、いかにグッドリッチが国吉回顧展に真剣に取り組んでいたかを示すと同時に、国吉の過去に、どうしても納得できない部分を感じていたからに他なりません。

例えばその一例を挙げれば、国吉の生年月日です。当時の『フーズ・フー・イン・アメリカン・アート』（アメリカ美術家辞典）などに国吉は一八九三年生まれであると書かれています。この事にグッドリッチは疑問を持ちました。まず、グッドリッチは、国吉に直接生年月日を尋ねました。彼からは一八九三年という答えが返ってきました。グッドリッチはその事についてはそれ以上触れずに、次の質問に移って、その日のインタビューは終わっています。次回のインタビューで、グッドリッチは国吉の初期作品についての質問をして、何故、牛をよく描いたのかと問いかけます。そして、国吉が丑年生まれであり、彼がかなり自分の生まれた年の干支に関心を示している事を突き止めます。

そうしたインタビューの後、グッドリッチは、国吉の最初の妻キャサリン・シュミットとインタビューをして、さりげなく国吉の年齢について尋ねています。キャサリンは、絶対公表しないようにと念を押した上で、実際の国吉の生年月日はもっと早く、少なくとも三、四歳は自分の年齢を若く言っている、と打ち明けます。このような証言を積み重ねてグッドリッチは、実際に彼が一八八九年生まれであることを計算するのです。もちろんそれは丑年は何年であるかを計算して、それが一八九三年ではなく、一八八九年であることを突き止めるのですが、この計算の一部始終を書いたメモも残されています。

しかし、グッドリッチはこの事実を突き止めておきながらも、キャサリンとの約束を守って伝記には書きませんでした。それはまた、二度目の妻であるサラ・マゾが若く、その年齢差が二十年以上にもなることに配慮した結果でもありました。グッドリッチはまた、国吉が丑年生まれであることを、同じ画家仲間で国吉の親友アレキサンダー・ブルックからも聞いていましたし、ブルック自身がその事を一九二〇年代に雑誌に書いている事も知っていました。しかし、本人が隠そうとしている生年月日を訂正したところで、伝記の内容に大きな影響を及ぼすこともない、と考えたグッドリッチは、敢えてその事に深く係わろうとしませんでした。

美術史家であるグッドリッチにとって、国吉の日本での生活が、どれほど彼の画業に影響を与えているか、という事は、年齢に対する疑問以上に重要なものでした。そして彼は、少なくとも三度にわたって、日本での少年時代、両親や親戚の事、岡山の事、学校の事などについてインタビューの中で触れています。日本で絵を見た事があったか、岡山に美術館はあったのか、何故、岡山県立工業学校染織科に入ったのか、学校ではどんな事を学んだのか、ドローイングや水彩画を習った事はなかったのか、画家になりたいと思った事はなかったのか、などという質問が、その他の多くの質問の間にさりげなく挾まれていて、グッドリッチが、なんとかして国吉に、日本での国吉の姿を語らせようとしていますが、国吉はそれまでの経歴書（ダウンタウン画廊が広報活動用に制作しておいたもの）の域を出るような事は、明かそうとしませんでした。それは見事に国吉は、一九一六年にアート・スチューデンツ・リーグに入るまでの事には、最小限しか触れていません。

しかし、それでもなお、グッドリッチとのインタビューで、国吉はこれが真相なのだろうというような事を、ぽつりと漏らしています。それは一九四八年一月六日に行われたインタビューの中で次のように述べている部分です。

「父が金を出してくれた。この国に入国するためには一定の金額を所持していなければならなかった。それは多分一〇〇ドルか二〇〇ドルだったと思う。これは渡航費とは別に必要な金だった。入国してすぐ、その金は家に送り返してしまった。」

すなわち、国吉の父は渡航費の他に二〇〇ドルほどの金額を持たせて日本から送り出したのですが、それはアメリカ入国のための「見せ金」であり、入国が許可されしだい送り返すことになっている性質のものであった、という事です。言い換えれば、国吉は片道の渡航費と、入国の時に移民局の役人に、滞在費を持って来ていることを証明するために必要な「見せ金」を持ってアメリカに入国し、入国の目的を果たすとすぐその「見せ金」を送り返すという計画でアメリカに渡った、という事です。一九〇六年という国吉の渡航の年には、アメリカでは「イエローペリル」（黄禍）と呼ばれた、東洋人のアメリカ移住への恐れが社会不安を引き起こしている最中で、そうしたアメリカ人の東洋人排斥運動は、国吉の使ったような手口での、不法入国ぎりぎりの渡航者が後を絶たないために起こってきたものでした。国吉の場合、後年彼自身のエッセーに書かれたような、若さがさせた冒険、あるいはアメリカに行けば道にお金が落ちている、といったような話を本当に信じていた希望を持った少年、などというイメージからはほど遠い、片道切符だけを持って就労目的でアメリカに渡った多くの日本人と同じくはじめから周到に計画されたアメリカ行きであったことがわかります。

この事は、国吉が他の日本人達とともに、直接アメリカに渡ったのではなく、まずカナダのヴァンクーヴァーに上陸して、陸路アメリカ合衆国に入国するという日本人移民の典型的なアメリカ入国経路をとったことからも窺うことができます。この方法の利点は、まずカナダに上陸して、カナダから入国許可をもらい、鉄道を使ってアメリカ合衆国に入ることによって、たとえ万が一にもアメリカ入国を拒否された場合でも、最低カナダには滞在できるという保証が取れる事と、直接アメリカにやって来た人々に対するアメリカ移民局の対応と、カナダで入国を許可され、かつ一応ある程度の生活費を持って来ている人に対しての対応は、自ずと違っていたからだと思われます。ともかく、カナダのヴァンクーヴァーにも、そしてワシントン州のシアトルにも、こうしてアメリカに渡った日本人は大勢いました。

国吉の場合も、このように突き詰めて行けば、他の多くの日本人移民の一人であり、はじめからアメリカで働き、日本に送金することを目的とした若者であったことが明らかになります。また、一度アメリカに入国してからは、徴兵を恐れて年齢を偽ったのではないか、ということも推測できます。つまり、日本での徴兵年齢に近かったために、それを逃れるためにアメリカに渡ったのではないかという推理とともに、もしアメリカで徴兵されてしまったらという恐れも推理できるわけです。そのためにアメリカでは、わざと年齢を若く言い、かつまた学童年齢である十三歳だと偽って公立学校に通ったことが、後に一八九三年生まれだと主張し続けた根拠になっているという推理も成り立つわけです。事実、国吉は一九一九年にキャサリンと結婚するまで、苦しい生活にもかかわらず、どこかの学校に在籍して、学生であり続けようと努力しています。つまり入国後の国吉は、単なる移民というのではなく、あくまでも留学生という身分を保ち続けようと努力したのです。

私は、こうした事を、敢えて明らかにしたいと思って書いているのではありません。本当の事を言えば、国吉が自分自身で書いた自伝的なエッセー『東洋から西洋へ』（『マガジン・オブ・アート』誌　一九四〇年二月号）で作り上げた彼自身のイメージ、すなわち、希望と期待を持って、アメリカで英語を勉強して帰ろうと思ってやって来た十三歳の少年、という事でも一向にかまわないし、それが本当であろうとなかろうと、国吉が画家として作り上げた作品の価値や到達した美学には何の関係もありません。その事は、私がここで書く以前に、一九四八年に国吉の伝記を書いたグッドリッチも十分に意識していました。そして、グッドリッチは、国吉の生い立ちや、家庭や、岡山での事々を、そして、アメリカに渡った本当の目的を、国吉が言った通りに、あるいは先にあげたエッセーに国吉自身が作り上げたイメージを損なわないように、注意深く嘘を承知で伝記には書きました。学者であるグッドリッチは、国吉に執拗に問いかけ、ほとんど真実を知っていたようです。しかし、三十年来の友人にも打ち明けようとしなかった事については、国吉の自尊心を尊重しました。しかし、伝記の下書きとなったメモに、一行、こう書き残しています。「ヤスは人物や起った事についての記憶はとても正確だが、年や場所についての証言には誤りが多い。」

第二章　アメリカ西海岸

日本での十七歳までの生活を頑ななまでに秘密にした国吉でしたが、アメリカに渡った直後の事については、一九四〇年代に入ってから、はじめてかなり具体的に書いたり話したりしています。しかし、それも渡米直後の事に関してであって、カリフォルニアに移ってからの事や、さらに一九一〇年にニューヨーク市に移住した直後の事については、あまり明らかにしたがりませんでした。ほんの少し、それも断片的な事を話したり、書き残したりしているだけで、国吉にとって、この時代の事は決して良い思い出ではなく、むしろ忘れ去ってしまいたい、忌まわしい記憶であったのに違いありません。

それでも一九四〇年に発表した『東洋から西洋へ』というエッセーには、少しですがこうした空白の時間について書き残しています。このエッセーは、国吉自身が、自らについて書き残したとされる自伝風のもので、活字になって発表された唯一のものです。不思議なことに、他に発表したものの原稿が全部といっていいほどに残っているのに、これだけは全く残っていません。それは多分、自分で書いたのではなくて、雑誌編集者がインタビューをもとに書いたものを国吉に見せて承諾を得たのではないかと思われますが、それでも、多くの国吉の同僚達やファンには、あらためて、東洋から西洋に渡ってきた国吉が、東洋の心と西洋の技法で画家になって行った過程が、はじめて明らかになった貴重なエッセーでした。グッドリッチの伝記が出版されるまでの新聞、雑誌の記事は、このエッセーを下敷にして書かれることが多く、またこのエッセーが作り上げた国吉康雄のイメージが、国吉にとって日米関係の悪化の中で、どれほど彼の立場を楽にしたかは、計り知れません。

国吉は、このエッセーを自分でも気に入っていたようですが、第二次世界大戦の終戦に近くなった一九四四年の夏と秋に集中的に自伝の原稿と思われるものを書き残しています。没後は未亡人のもとに保管された後、スミソニアン協会の一機構であるアーカイブス・オブ・アメリカン・アートに寄贈され、分類されないままに、"Box C"と名付けられた箱に一括して収められて保管されています。これらはタイプで打ってあり、日付けを打ったあと、個別のタイトルの無い文章が、レターサイズの紙にダブルスペースで約二頁にわたって書かれています。合計すると約三〇ほどのそうしたエッセーが残っているのですが、そのほとんどは芸術論とか、彼の美術に関する考え方について述べたものです。しかし、その中には彼の住んでいたウッドストックの住人である画家に関したものや、ふとした思い出のようなものも書かれていて、そこに、ヴァンクーヴァーに上陸した時の思い出が綴られています。多少の脚色があったとしても、十七歳ではじめてカナダに上陸した国吉や他の日本人がどんな考え方を持っていたかがよくわかるのでここに引用してみます。

「一九四四年八月二十七日　日曜日

一九〇六年にはじめてヴァンクーヴァーに上陸した時、そこには素晴らしい光景があった。今でもその街の姿をとても生き生きと思い出す事ができる。どこもかしこもレンガ造りの建物ばかりで、その建物の壁には、種々様々の広告が英語で書かれていた。私はこの目新しい光景にすっかり魅了された。

私たちは日本人のホテルに連れて行かれた。そこでは私たちに日本料理とアメリカ料理を半々で出してくれたが、何故か、日本で食べたアメリカ料理の味と、そこで食べたのとは違っていた。

同じホテルに泊まったグループの中に、この国で大儲けをすることを夢見ている学校の先生がいた。彼はすでに四十歳ぐらいだったが、とてつもない大望を抱いていたのだった。私も、この国は誰でもが大金をつくるためにやって来る国であり、道に落ちているお金を拾い集める事ができるとさえ思っていた。

学校の先生は最初の日に大失敗をやらかしてしまった。その事件を私ははっきりと思い出す。無事到着して、当然、誰もが日本にいる親族に手紙を書いた。私達は揃って郵便ポストに手紙を入れに出かけたのだが、通りには郵便を入れるようなものはどこにも見当たらなかった。ついに赤い箱が見付かり、私達は二人して、どこに投入口があるのかと覗いてみた。それはホテルから斜めに当たる角の電柱に蝶つがいで取り付けられていた。その箱にはハンドル状のものがついていた。ためしに彼はハンドルを引っ張ってみた。何が起ったかと言えば、それは火災警報装置であり、けたたましい音でベルが鳴り響いたのだった。私達は恐怖におののき、ホテルに走って帰った。

数分後に、消防車がやって来て、彼は自分が何をしでかしたかを告白しなければならなかった。外国人ということで軽い罰で済んだというものの、彼は罰金二十五ドルを払わねばならなかった。私は、異国での最初の日に、二十五ドルも支払う破目になってしまったこの中年男を気の毒に思った。彼にとっては大金だった。

その後、私達は不思議に思う事々について語り合った。洋式便所については大論争をした。私達はどちらを向いて用を足せばいいのか知らなかった。私達は、前向きにも後向きにも座ってみたが、どちらとも決められなかった。

グループの人々は同じ船で一緒にやって来たのだった。我々はお互いに他人同士であったが、異国にいるという理由で仲良くしていた。

私は彼らの前歴など何も知らず、また彼らも私の事は何も知らなかった。ともあれ、私達は同じ列車でシアトルに向かって出発した。そして彼らは彼らの道を行き、私は私の道を歩んだ。私は再び彼らと会うこともなかったし、何の便りも聞くことはなかった。私は時々、あの頃を思い出し、あの人達はどんな生活をしているのだろう、と思う事がある。」

一九四四年八月二十七日という日は、国吉がはじめてアメリカに着いた時を思い出す事が多かったのか、もう一つ、シアトルで仕事をはじめた日についても短いエッセーを書いています。ここにそれも訳しておきましょう。それははからずも、国吉がアメリカに労働者として渡った事や、その当時の日本人がアメリカでどのような生活をしていたかを知る上でも十分に価値のある資料です。

「一九四四年八月二十七日　日曜日　ウッドストックにて

アメリカでの私の最初の仕事は、スポーカンの鉄道ではじまった。シアトルのホテルのマネージャーが、円形機関車庫での仕事を私に紹介してくれたからだ。私はその仕事がどんなものか知らなかったけれど、一日に二ドル貰えると言う事だった。私はたった十三歳だった。これは大金だと思った。

スポーカンに行く旅費はグレート・ノーザン鉄道会社持ちだった。私達数名はお互い知らない者同士だった。翌日目的地に着き、私達の宿泊所に連れて行かれた。そこはとても大きなテントで、二ダース以上の人間が寝ていた。マットレスもスプリングもない自家製の木のベッドが置いてあった。私はこの光景を見てとても失望した。と言うのは、私はアメリカを美化し、ロマンチックに考えていたので、この現実との直面は大きなショックだったのだ。誰かが、夜になったら干草を盗んで来てベッドに敷けば快適に寝られると教えてくれた。私達は言われた通りにして、何とか寝ることができた。

翌日の朝食はまた驚きであった。とても大きな錫製の薬罐にコーヒーが入っており、錫製のコップとスライスしたパンを山盛りに載せた錫製の皿が幾つも置いてあった。たったそれだけだった。

私は他の人達が食べるのをじっと見て、見様見真似で食べた。私達はコーヒーを飲み、パンに砂糖をつけて食べた。私は若くて空腹だったので、大量のパンを食べた記憶がある。作業場に出た時、班長が私に「お前はエンジン・ハウスの近くへ行け」と言った。私は何を言われているのか理解できなかったが、他の人がどこへ行けばよいのか、そして何をすればよいのか教えてくれた。班長はまだ年若い少年の私を哀れに思ったとみえ、私にもっとも楽な仕事をあてがってくれた。枕木敷きの作業員や、エンジンの内部を掃除している作業員に、バケツに入った水を運ぶのが最初の仕事だった。しかし、私は水のいっぱい入ったバケツを持って長い距離を歩くのも重労働だと思った。翌日には、とてつもなく広い操車場を箒で掃くという仕事をくれた。私はそれまで箒を手にしたことがなかった。これも重労働だった。ともかくその日はこの仕事をやり遂げたが、翌日私は音を上げ、ほうほうの体でシアトルへ逃げ帰ってしまった。

これが私が夢見ていた、そして私が実際に直面しなければならなかったアメリカの最初の体験だった。」

私達は、その後国吉がシアトルのホテルやオフィスで、床みがきやベルボーイといった仕事をして、冬が来る前にロサンゼルスに移住した事を知っています。それは『東洋から西洋へ』にも、グッドリッチ氏の伝記にもそのように書いてあるからです。国吉もそのように答えている事が記録されていますが、何故シアトルからロサンゼルスに向かったのか、誰か知り合いとか、職業紹介所とかの手を経たのか、何故ロサンゼルスが目的地となったのか、そういう事はわかりません。多分、冬の厳しいシアトルでは衣料費も馬鹿にならず、肉体労働市場の限られているシアトルよりも、農業人口が多く気候も温暖なロサンゼルスの方が、生活しやすかったに違いありません。

国吉がこの頃の自分についてあまり語らないのは、こうした仕事の紹介も、ロサンゼルスへの移住も、当時アメリカに出来上がっていた日系人の組織によって、助けられていたという側面が多かったからだと思われます。もっと言えば、国吉は出発の時から岡山市の数人とともに、岡山を出発したという証言もありますし、先に引用した国吉自身のエッセーにも、ヴァンクーヴァーの引受け先のホテルまで連れて行った人があり、日系人のホテルが宿泊先であり、またシアトルへも団体として移動して行った事、そのシアトルでも日系人のホテルが活動拠点になっていた事など、全てが組織的かつ計画的に運ばれ、その先が肉体労働市場であった事がはっきりしています。そしてロサンゼルスは、こうした日本人の受け入れ組織が充実していたところであり、数か月のシアトル滞在の後、こうした組織を通して、ロサンゼルスに移住して行ったのだと思われます。

こうしたアメリカへの移民の方法は、決して異常でも、特異でもありません。アジアからの移民も、同じような組織を作って、それを通してアメリカに移住しました。アメリカは、その建国当初は別として、時代が下るにつれて、このような形の移民を受け入れて来たのです。太平洋、大西洋、カナダ、メキシコというアメリカ合衆国を取り巻く四方からこうした、正式な入国者を受け入れただけでなく、同じルートを通って入ろうとする密入国者にも対処しなければなりませんでした。合法、非合法の移民達によって、アメリカ合衆国は成り立っているのであり、移民の波は、今日もまた合衆国の空港や港や鉄道の駅や、数多くのカナダやメキシコに通じる道路の出入国者管理事務所で、絶えることなく続いているのです。これは、国吉が入国した時も今も変わる事がありません。

少し立場を変えて、今日の日本を考えてみましょう。数年前から、日系人であることが証明できれば、日本は就労ビザを出すようになりました。それまで東南アジアやイラン、アフガニスタンなどから留学や観光のビザで日本に入って来て、不法滞在を続ける外国人があまりにも多くなった結果、日本政府がとった、正当な日本での就労許可の一つであり、その結果、明治のはじめから昭和三十年頃までブラジルやペルーや世界のあちこちに移民して行った日系人の子孫が、日本に就労のためにやって来ました。そのほとんどの人達は日本語が話せず、また読めません。かつて国吉がシアトルに入った時と同じように、集団で入国し、専門に手配をする人達によって、日本全国の職場に送られて行きます。そして、手配師、あるいは、同国人間の情報交換を通して、職場を次々に変えて行っています。そして一方では、日本語を学び家庭をつくって、少しずつ集団から離れて、日本人社会との付き合いを深めて行っている人達もいます。町内の溝掃除や草刈り作業、町内運動会を通して、少しずつ日本人社会の中に入って行っているのです。また、仕事の面でも熟練工になって、会社にとってなくてはならない人材になっている人もいます。

私はこうした日系人達を見るにつけても、九十年も前のアメリカでの国吉が、どのような生活をはじめていたのか、そんな新しい環境の中で、どんな事を考えていたのだろうか、と思うことがあります。もちろん一九〇六年当時のアメリカにはイエローペリルが吹き荒れ、黄色人種に対する差別は明らかでしたし、現在の日本にいる日系ブラジル人達とは比べ物にならないほどの劣悪な条件の下で、生活を始めたに相違ありません。そうした生活の事をこまごまと書き連ねたり、話したりして何になるのでしょう。国吉は画家として名声と名誉を欲しいままにしてからは、特にそう考えたに違いありません。それに加えて、一九四一年から一九四五年までの日米の戦争は、アメリカにいる日系人を大きく分けてしまいました。西海岸に集団で住み続け、アメリカ人社会に溶け込もうとしなかった日系人達と、中西部や東部に進出して、独力でアメリカの自由と民主主義の中で、自分の能力を発揮してアメリカ人としての地位を獲得して行った人々との間には、大きな隔たりができていました。

西海岸に住む日系人達が、大統領令によって、一九四二年に、家も家財道具もそのままに、アリゾナ州などの砂漠地帯に建てられたバラックに強制的に移住させられた一方、東海岸のニューヨーク市に住む国吉やその他の日系人は、市外に出る時に市当局からの許可証の携帯を義務付けられた以外、ほとんど何の制限も受けなかったという天と地ほどの差別があったことも忘れてはならない事です。国吉は自分はアメリカ人であると宣言し、日本に対して戦争反対を勧める活動をしたのみならず、西海岸在住の日系人達についても、その集団的生活態度が、アメリカ人になろうとする努力の無さが、強制移住にまで及んだのだといった、同胞に対するとは思えないような発言もしています。そして生涯、国吉はロサンゼルスを二度と訪れる事はありませんでした。

一九〇六年から一九一〇年までの国吉のロサンゼルスの生活が、日系人社会の一員として組み込まれたものであり、彼はそれを嫌ってニューヨークに移住しました。私はもうこれ以上、国吉がロサンゼルスでどうしていたかについて述べるつもりはありません。でも、一つだけ資料を紹介しておきたいと思います。それは、国吉が一九三一年に、日本に一時帰国した時、国吉自身が、自分について書いてある記事を切り抜いて作ったスクラップブックに挟まれていた一片の新聞か雑誌の記事です。蜂谷信太郎という方の書かれたもので、『米国画壇の人気者、ヤスオ国吉君』というタイトルがつけられています。国吉のスクラップブックに挟まれていたものは、この連載の（二）に当たるところで、この（一）の部分は残念ながら残っていません。ともかく、ロサンゼルスにいた頃の国吉を知る事のできるこの記事を引用して、当時の国吉については、そっと通り過ぎることにしたいと思います。

「其の日の晩であったと思う。在留岡山県人主催の歓迎会が某「ホテル」で開かれた。此時も国吉君は波止場迄出迎えて呉れた。出席者は故坂本少佐（後少将）、遠藤主計（後主計大佐）及坪田、河合、蜂谷の三候補生（今何れも中佐）であった。主催者側は二十名近くも居た様であるがいま確かに記憶にあるのは、東田町出身の医師古澤孝君と国吉君の二人位のものだ。それに次では名は忘れたが某大学生と、内山下の者だという一人給仕女である。某大学生と云うのは流暢な英語で歓迎の辞を述べたのと、後で自分にコッソリと「自分は大学生である。其處いらに居る百姓達とは違う」と自慢をしたので記憶に残っている。給仕女というのは自分達と同じ年頃の美しい女であった。女だけに一入故郷が懐かしいと見えて自分の前に始終座を占めて、飲めない自分に酒を強い乍ら岡山の事を次から次へと聞いた其様子を見て隅の方からヨウヨウ等と冷かす者もあった。当時まだ若い異性と言葉を替した事もない自分は、顔が熱くなる様で口もロクにきけず、折角の御馳走も咽喉に詰る様であった。帰る時玄関迄送って出た其女の寂しそうな面影は今も目の前に見る様だ。

別れる時国吉君は、自分で意匠を施した綺麗なエハガキを呉れた。自分は国吉君に朝日を一箱贈った。それは在留邦人が、日本内地の酒や煙草にこがれて居る事を知って居たからだ。然し後でよく考えて見ると酒も煙草も飲まない国吉君には其贈物は全く無価値であった。

艦は其翌日桑港へ向け出発した。国吉君らしい男が見送りの「ランチ」の上で白い「ハンケチ」を振っているのが見えた。「ロングサイン」の楽の音がゆるく波の上に流れた。見送りの船は何処迄も追って来たが速力が違うのでだん［欠落（著者註）］人の影も見えなくなった。

国吉君とはそれっきり会う機会が無かった。暫くの間は文通もして居たがそれもやがて止んだ。それは国吉君自身が住所を変えたからでもあるが、又自分の方でも毎年の様に転々として勤務先を変えたので、お互いに「アドレッス」が判らなくなったからである。

大正六年に自分が再び「ロスアンゼルス」を訪れた時には、前に挙げた人々は全くもう其處には居なかった。其時会った人達は一中の同窓板野君、ホテル業者の某君、高中出身の横川君、県商出身の某君等であった。国吉君の事を聞いて見ても、東部の方へ行って居るそうだ位の事で詳しい事を知っている人はなかった。自分が国吉君とは再び会う機会はあるまいと諦めていた。

所へ今度の新聞だ。正に之青天のへきれきとでも云うべきではないか。まさかあの国吉君がと自分が一寸疑ったのも無理のない事であろう。

由来邦人にして北米の地に名を成したものは相当に多い。例えば英文武士道の新渡戸博士の如き、詩人野口米次郎君の如き、又「タカジアスターゼ」の故高峰譲吉博士や「ポテトー・キング」の故牛島講爾君の如き、近くは世界的大医学者故野口英世博士や歌劇の三浦環夫人、映画の早川雪洲君、評論家鶴見祐輔君の如き数え挙げれば十指に余る程である。

国吉君が今「アメリカ」の畫壇に占めている地位と名声とは、之等の人々に比較して優るとも断じて劣る事はない。何と素晴らしい世ではないか。

何でも此秋には、其赫々たる名声と美しい細君とを土産に久し振りに故郷に錦を飾るとの事であるが、国吉君と一所にロスアンゼルスの絵画学校に学んで居った髪の毛の長い学生は如何なったであろうか？歓迎会の席上で百姓達とは違うと威張った大学生は如何なりしか?さては彼の美しい給仕女の行末は如何等聞きたい事は山程もある。

さても再会の日の待たるる事はある。」

第三章　ニューヨークの仲間たち

国吉はアメリカに渡った四年後、日系人が多く住んで、日系人社会を形成していたロサンゼルスを離れて、一人でアメリカ東部最大の都市ニューヨーク市に移住しました。一九一〇年の秋の事です。

国吉がニューヨークを目指したのは、組織化され、コミュニティーとして孤立してしまっていたロサンゼルスの日系人社会からの脱出であったと思われます。ロサンゼルスの生活について語りたがらないのも、また二度とロサンゼルスを訪れなかったのも、手配師的な人間に支配された四年間にわたるカリフォルニアでの生活が、決して良い思い出でなかった事によると思われます。また、そうした国吉の感情は、後年太平洋戦争が始まり、アメリカ西海岸に住んでいた日系人達が、強制的にアリゾナ州を始めとする砂漠地帯に急遽つくられた収容所に強制的に収容された時も、国吉はあまり同情的なそぶりを見せなかった事にもあらわれています。それればかりではなく、西海岸に住む日系人達を非難するような演説を行ったりもしているのですが、それについては後で触れる事になるでしょう。

国吉がニューヨークを目指したもう一つの、そして最大の理由は、アメリカでの四年間の生活を経験して、画家になろうとはっきり決心をした事です。画家になるためには、その中心地であるニューヨークに出ることが一番だと考えたのです。当時のカリフォルニア州と東部の大都市との文化差は、今では想像もつかないほど大きなものでした。国吉はロサンゼルスで、ロサンゼルス・スクール・オブ・アート・アンド・デザインという美術学校に通っていたのですが、そこでの教育は、一九世紀の前半、すなわち印象派などが生まれる前の古典派やバルビゾン派のものでした。厳格なスケッチや、技術的な職人的な画法ではあっても、すでにヨーロッパでは主流から遠く離れてしまっていただけでなく、アメリカ国内でもすでに古臭いスタイルになりつつあったのですが、カリフォルニアでは、それこそが美術の主流として堂々と罷り通っていました。

しかし国吉は、カリフォルニアで受けることのできる教育が古臭いものであったからニューヨークを目指したのではなかったと思われます。国吉自身、自分が学んでいる事が、旧式なものか最先端なものかなどを判断する知識を持ち合わせてはいなかったのです。ただ、四年間のカリフォルニアでの生活から得た彼の結論は、農夫や植木屋や、洗濯屋の下働きをしてカリフォルニアで過ごすよりも、画家になって暮らしたい、それもアメリカの美術の中心になっているニューヨークで画家になってみたいという願望だけで、ニューヨークを目指したのでした。

ニューヨークに着いた当初、国吉は、やはり日本人の世話になったようです。一九一〇年頃のニューヨーク市には、日本の大会社から出張滞在している日本人の他には、特別な技術を持った医者やその他の専門職の人々、そしてコロンビア大学等に留学している学生以外には、それほど日本人はいませんでした。もちろんニューヨークにも肉体労働の需要はありましたが、それは日系人が取り仕切ったり、あるいは日本人社会が構成されるほどに大きなものではなく、カリフォルニアとは全く事情が異なっていました。

そしてニューヨークの日本人達は、カリフォルニアにいた日本人達よりも、知的レベルにおいても、目的意識においても、またアメリカ社会への同化の程度においても格段の差があったようです。グループを作ったり、コミュニティーを作ったり、という事は多少あったようですが、それよりも、アメリカで学び、あるいはアメリカで働き、アメリカ人になって行こうとしている人達の方がずっと多かったのです。

国吉が頼ったのはカワベという人だったようで、この方についてはコマーシャル・アーティストであったという国吉の言葉以外、どのような仕事に携わっておられた方かはわかりません。そして、スタジオの掃除をするかわりに宿泊させてもらう、といった関係だったようです。このニューヨークに着いた頃の事についても、国吉はあまり人には語っていませんが、国吉は当然の事として、生活に追われながらも画家になる決心は捨てなかったようです。しかし、画家になるためにはやはり、学校へ行って学ばなければ、という気持ちから、彼が選んだのは、ナショナル・アカデミーでした。ここはカリフォルニアで彼が学んだロサンゼルス・スクール・オブ・アート・アンド・デザインと同様に、当時のヨーロッパの潮流からは百年も遅れた方法で教えている学校だったのです。

この事は当時の国吉の意識を知る上で、非常に重要な事だと思います。つまり国吉は何か新しいものを求めてニューヨークに来たのではなく、またヨーロッパの美術界で何が起こっているのか、またニューヨークでどのような人達が、どんな美術作品を発表しているのか、そんな事は何も知らずにニューヨークにやって来た画家志望の青年だったという事です。アカデミックな技法にはすでに習熟していても、美術の潮流には全く無知であった国吉が最初に選んだのが、ニューヨークでは最も保守的であった学校だったわけで、国吉の頭の中にあった画家という概念は、その程度のものであったのです。

しかし国吉は、すぐにナショナル・アカデミーをやめてしまいます。それは国吉がニューヨークの美術の情況を知って、新しい潮流に心を引かれた、というような理由からではなく、ニューヨークの生活の厳しさに追われたからです。特にニューヨークの冬の寒さは筆舌に尽くしがたいものです。それでも今度は、国吉は方向を変えて、反アカデミズムの旗手として名を成していたロバート・ヘンライが主宰するヘンライ・スクールに入ってみます。ここではかなり社会的な主題を描くことの意義を主張するヘンライの教育に触れますが、何が何だかわからないままに生活に追われてやめてしまいます。そして、また少しお金ができた時、当時のニューヨーク市でも最も急進的で、ヨーロッパかぶれのホーマー・ボスの主宰する学校にも入ります。ここでは、後年友人として仲のよかったスチュアート・デイヴィスも学んでいました。この学校は抽象画を賞賛しダダイズムをほめちぎる学校であり、人々の集まりだったわけで、国吉にとっては何が何だかわからない前衛集団の中に、印象派の知識もなく飛び込んだのですから、全く勉強になるはずもありません。当然すぐにやめてしまいました。

このように国吉の画家になる希望と、現実の美術界の動向との間には大きなズレがありました。当時のニューヨークでは、新聞の挿絵画家であったロバート・ヘンライの下に集まった「八人組」と称される画家達が、社会の底辺に題材を求め、人々の暮らしを描写するソーシャル・リアリズムを旗印に一九〇八年に展覧会を開き、大きな反響を起こしていました。当然センセーショナルな反響が湧き起こって、賛否両論の中に、この人達は、「アッシュカン派」と呼ばれるようになりました。しかし、スピードあるタッチとありのままの底辺の人々の生活を描くこの人達の絵は、それほど革命的ではありません。アカデミーの権威と技術を重んじた旧体制に一石を投じたものの、それを揺るがすほどの力にはなりませんでした。それにくらべて、一九一三年にヨーロッパの現代美術のあらゆる潮流を網羅して、作品数においても、その傾向や美学の雑多さにおいても、美術とは一体何なのだろうと人々に考えさせるような衝撃を与えたのが、「アーモリー・ショー」と呼ばれる展覧会でした。これはアーモリー、すなわち兵器庫を会場として開催されたのでそう呼ばれたのですが、これが、ニューヨークの人々を何万人と集め、マルセル・デュシャンから、ホーマー・ボス達の作品までを含んだ、ニューヨークに現代美術が現れた最初の展覧会だったのです。

この「アーモリー・ショー」や、「八人組」の活動、そして「２９１」という小さな画廊でヨーロッパの先端美術をアメリカに紹介したアルフレッド・スティーグリッツの活動など、国吉がニューヨークで何が何だかわからないままにうろうろしていた間に、アメリカ美術の夜明けともいうべき事が次から次へと起こっていました。国吉は、そうした事の起こっている最中に一体、何をしていたのでしょうか。一言で言えば、彼は生活に追われていたのです。そしてまた相談相手もないままに、あちこちの学校に入っては退学することを繰り返し、体系的に、理論的に、今ニューヨークで起こりつつあることを吸収できないままに、ただ画家になるという希望だけは捨てずに、働いていたのです。こうした試行錯誤の末に国吉が、ようやく辿り着いたのが、アート・スチューデンツ・リーグという美術学校だったのです。一九一六年の事でした。

アート・スチューデンツ・リーグという学校は今もニューヨーク市にあり、沢山の学生が学んでいます。それだけではなく、この学校に籍を置いたアメリカの一流画家の数は数え切れません。このアート・スチューデンツ・リーグについて、その特殊な組織と運営を、国吉と同じくそこで学んだ画家、石垣栄太郎氏が昭和二十七年に『芸術新潮』九月号に手際良く当時の姿を書いておられるので、ここに引用させて頂きます。

「カーネギー・ホールの筋向ひに堂々とした石の建物があります。これがアート・スチューデント・リーグの美術學校で、アメリカでもっとも有名なそして、大きい美術學校であります。

この美術學校は、約八十年前に創められた學校で、可成り異色のある學校です。また自由な學校でもあります。初めは四、五人の美術家が集って、アート・スチューデント同盟を組織しまして、その會の事業として、第五番街と十七丁目に小工場ビルの一室を借りて研究會を始めました。

當時、有能な美術界の大家、中堅作家を招聘して指導を仰ぎ、生徒を中心とする美術學校を始めたのでありました。その後、種々な曲折を經て、今日のような立派な美術學校になったのでありますが、創設當時の精神は失われてはいません。

毎年、リーグメンバースの大會を開き、教師を投票によって定めるのです。ここで定められたインストラクターは各自、思い思いの教授法で教えます。生徒は自分の好きな教師を選擇する自由を持っていますから、寫實主義の好きな生徒は、寫實主義の教師を、モダン派を好きな生徒はモダンの教師を選んで勉强します。また、同じ畫派のものでも、それぞれ人によって違っていますから、自分の好きな畫家を選ぶのであります。でありますから、この學校には、あらゆる畫派《スクール》の先生が集まっています。

油繪、彫刻、版畫、水彩畫、ドローイングのクラスがあり、版畫のうちでも石版刷、ウッドカット、エッチング、アクアチント等々のクラスに別れています。教師のいない級を望む生徒は、スケッチクラスといって教師の居ない級もあります。

教師の月給はまず、基本的な給料を定めて、その教師のポピュラリティーに依って、つまり生徒の數が多い教師の月給は高くなっています。

生徒の數が四十人を越すと、級を二つに分け、そしてその教師の月給も倍になる方針でやっています。そして全學期中十五名の生徒を保持できない教師は、その次の學期から名を消すことになっています。この學校には、校長がありません。事務員があるだけです。校長の代りになる人は、リーグの會長ですが、毎年メンバーの大會で役員が選ばれるのであります。

この學校には卒業式がありません。ですから生徒には老若男女が、一室に集まって研究しております。何年でも、自分の好きな期間だけ研究できるようになっています。」

国吉が試行錯誤を経て一九一六年に入学したアート・スチューデンツ・リーグという学校は、石垣氏の説明にあるようにユニークな学校でした。国吉は、ここでケネス・ヘイス・ミラーという先生のクラスに入りました。ミラーは、画家としてそれほど名を残した人ではありませんでしたが、とても良い先生であったようです。そして、もちろんアカデミーの先生のような古い考え方を持った画工的・職人的な人ではありませんでしたが、かといって、ヨーロッパの流行をやみくもに追いかけたり、過激な理論を振り回したりする急進的な人でもありませんでした。ゆっくりとした自分のペースで画業を積み重ね、自分自身のものを作り上げて行くタイプの画家でした。ミラーを先生として選んだのは、国吉の選択ではなく、第一志望のクラスが満員で、やむなく入ったという事を国吉は回想していますが、ミラーとの出会いは、国吉にとって極めて幸運でした。アカデミズムの職人的技巧を画家になる唯一の道だと信じて修業に励んできた国吉が、ニューヨークに移住して、入学・退学を繰り返して来たいくつかの美術学校は、彼を混乱させるばかりでしたが、ミラーの下で学ぶ機会を得た事は、そうした混沌を整理し、とるべき方向を決めるのに、非常に大きな影響を与えました。もし、国吉が同じリーグの中でも別の先生の下で学んでいたとしたら、画家国吉康雄の姿は全く別なものになっていたかもしれません。

先程引用した石垣栄太郎氏の文章からもわかるように、リーグは、学生によって運営される学生のための学校であり、クラスメイトも、同じ画家を目指すものとして仲がよく、ともに遊び、ともに学ぶという雰囲気が強く漂っていました。ここではじめて国吉は友人を得る事ができたのです。それは、国吉と同じように画家になる事を目指すアメリカ人の友達です。仲間という連帯意識は、リーグの持つ雰囲気とあいまって、急速に深まって行き、ただ一人東洋からやってきて、技術的にはアカデミーでの修業で抜きんでていた国吉は、多くの人達から声をかけられ、友人として扱われ、仲間に加わって行きました。

ミラーは、知識も豊富であり、ヨーロッパの最新の動向などに惑わされることなく、ドーミエのドローイングの重要性や、ルネッサンスの巨匠達の作品の解釈について、はじめて国吉に、体系的に、理論的に説明をしてくれました。メトロポリタン美術館に行って、こうした偉大な画家達の作品に接することや、技術的に学ぶ事など、ミラーは先生として国吉に欠けていた知識を十分に与えるように指導し、国吉はまた先生の言葉を忠実に守って、自分の画家としての在り方や進む方向について懸命に学びました。そうした、リーグの中では保守的な教育を受けながら、一方では、新しい友達から、ヨーロッパの最新の情報にもとづいた知識も自分のものにして行きました。

しかし、こんな理想的な学校に入ったからといって、国吉の生活が楽になったわけではありません。むしろ学校での勉強や友人達との交遊や、あるいは美術館の訪問など、画家になるという具体的な目標に向かっての気持ちが高まり、時間が必要になればなるほど、生きるための生活費の捻出は、より重い負担となってきました。前にも引用しました国吉の未整理のエッセーの中に、その頃の生活の思い出を書いたものがあります。

「八月二十七日　日曜日　ウッドストック

私がリーグの学生だった時、夜間部のクローク室で働いて勤労奨学金をもらっていた。この奨学金の他に、私は一か月に十五ドルの収入があった。そんな情況の中で私はリンカーン・アーケード・ビルディングに一か月十二ドルの家賃を払って小さなスタジオを借りて、何とか過ごしていたのであった。私が一か月をどのようにして過ごしていたかは神のみぞ知ることだが、食べ物に関する幾つかのエピソードは今も覚えている。夜、リーグの食堂で、コックが、私や掃除夫や当時通学していた貧しい学生達のために、パンの耳やスープや、残り物は何でも残しておいてくれた。

少なくとも、毎夜私はスープとパンはおなか一杯食べられたのだが、一日に一食でいいから、ちゃんとした食事を取ることができたら、心おきなく力一杯絵を描く健康な力が出るのに、そうなれば幸せなのだがな、と考えたりしていた。

私のスタジオのすぐ近くに中華料理屋があった。ある日、私は決意もかたく三十五セントの定食ディナーを毎日食べに来るから二十五セントに負けてくれるように中国人の持主に掛け合ってみたが、私の提案は断られてしまった。

どうやって食いつないでいたのか記憶にないが、何とかやって来れたのだ。」

この国吉のエッセーには、ある部分、嘘、若しくは思い違い、が含まれています。それは、そっとリーグの食堂の残り物を取り置いてくれたのは、コックではなく、食堂の経理を担当していた国吉の恋人キャサリンだったことです。キャサリンも同じく勤労奨学金をもらっていて、その凡帳面な性格から、食堂の会計を任され、営業が終わった後も、全てを点検するマネージャーをつとめていたのです。やがて二人は結婚するのですが、二人の恋が食事も十分に取れなかったところから始まったのは、微笑ましい、心あたたまる話です。

その頃の国吉の事を知っている日本人は多くはありませんが、比較劇文学の研究者宮武繁氏が、昭和二十九年五月の『美術手帖』に「青年時代の国吉康雄」という貴重な一文を寄せておられます。多分、宮武氏は大学で勉学されていて、何かのきっかけで国吉と知り合われたのだと思いますが、国吉が書いたり語ったりしていない、当時の彼の生活を知る上では重要な資料だと思いますので、ここに紹介しておきます。

「内気で、人見知りがひどく、純情で、涙もろく、相当強情っぱりで、むっつり屋のくせにどうかして調子にのると訥々として自説を枉げない。おしまいには勝手に興奮して、ポロポロ涙を流して泣く、こらちも持て余してうっちゃっておくと泣いた顔で笑い出す。五尺四寸位、痩せ型、かなり大またで速や足に歩く。心持ち仰向いている顔は、年中、半分泣いているよう、大きなロイド眼鏡の奥で、憂鬱そうな一重瞼の眼が物思いにふけっているように始終湿んでいる。お百姓のように日焼けした面長な顔、顎の下辺りまで垂れさがっているひん曲がったパイプを滅多に口から離さない。機嫌のいゝ時には、独りでニタ〳〵して岡山弁丸出しで訥々と下らない冗談を飛ばして悦に入っている。全く図体の大きな子供だ。

国吉康雄という男のデッサンを描いて見るとこんなことだろうか。

一口に云って彼という人間は「憎めない男」だった。交際《つきあ》っていると、いつとはなく彼の身体からにじみ出るような春風駘蕩とした柔らな、然しなんとなく哀調を帯びた体臭――とも違った、和やかな気分に魅惑される。明日という日が、どうなるか、当分水ばかり飲んで生きて行かなければならないといったような無慙な流浪者のような生活、大ニュウヨーク市という、メルティング・ポット(坩堝)の中で孤独と、飢餓に攻めさいなまれながら青年の無頓着というか、横着というか、明日は、明日の日が照るといった、ふてぶてしい一種の反抗心を持ち続けてやっと生きていた国吉や、私であった。――一九一七――二〇年の頃、お互い同じ年齢の二五、六歳の時代。

でも、国吉には絵、私には比較劇文学という対象を生きる目標にして、どんな場合にも失わなかったことはお互いを力づけた。

丁度この時代は第一次世界大戦の前後であった。〔中略〕

彼と私とのニュウヨークでの交りは、一九一七年から二五年の夏、私の帰朝まで八年余であった。この期間中、前期五年間程は、お互い労働者か、画描きか学徒か全く区別のつかない生活だった。彼は私にひた隠しに隠して、ハドソン河の対岸ニュウジャシー州のナイアックという田舎町にあった小さな硝子工場で、長い棒の先を吹いてビンやフラスコを造る硝子工に雇われたこともあった。ニュウヨークではイースト・サイドの貧民窟や魔窟にある怪しげなキャバレー、ナイト・クラブなどの俗悪なポスターを描いたり、バーテンなどをやっていた。

国吉という男は滅多に自分の私事を誰にも話さない。目下、何をやってるのか、どんな画を描いてるのか、女の話、金の話、仕事口の話、凡そ、自分自身に関係したことは、殆んど洩らさない不思議な性情を持っていた。時々私も、からかい半分に罠をかけて見たのだが不得要領な笑いにまぎらして遁げてばかりいた。彼の無口から来た非社交性の現れだと解釈して私達は少しも気にかけなかった。然し隠すより現われるで、いつとなく、みなばれて来るから愉快だった。

労働の合間にはよく私の宿へ遊びに来た。彼は下町の有名なグリーニッチ・ヴィレヂの有名、無名の芸術家の町や、その付近の安下宿に住まっていた。決して上町のサラリーマン区域や実業家連の住宅地区に住もうとはしなかった。後年アメリカ屈指の画家と持てはやされるようになっても、若い時から住み馴れたヴィレヂ付近の雰囲気から去らなかった。私は上町に（西百二十三丁目）五十年程前から苦学生や労働者達のために設けられたクリスト教関係の慰安宿泊所に住まっていた。国吉のいたヴィレヂは西八丁目だから、地下鉄で二十分位の距離だったが、彼はよく遊びに来た。孤独の寂聊に堪えなかったのだった。彼が来れば必ず百二十五丁目の賑やかな然し下等な三等町にある汚ならしい安支那めし屋へ行くことにきめていた。二人で二五仙ずつ出してチャプスイとフーヨン・ハー一皿ずつとって、かけうどんの丼より少し大きな丼に南京米のめしを山盛りにしたのを貪るように喰った。二皿のお菜を両方から勝手に竹箸をつっこんで食べるのだった。行く時も、食っている間も、帰り途に映画館やヴォーデヴィルの絵看板を見たり、古本屋を素見したりしている間も彼は一言も饒舌ない、私もよく心得ているから、彼に話しかけようともしない。只黙々と、行って、食って、帰って、それで二人共満足した。〔中略〕

春になると、ウッドスタックの杜の中や、ロングアイランドの海浜のスケッチによく誘ってくれた。二三枚の四号か、六号位の板っぺらをさげて行った。ブラ〳〵するばかりで滅多に描いたことがない。国吉は晩年に至るまで屋内の静物や、人物の画家であった。」

宮武氏のエッセーにみられるように、国吉は、ずっと働きながら、それもかなりきつい肉体労働に従事しながら、リーグに通い、またリーグでも勤労奨学金をもらってようやく生活を成り立たせていたことがわかります。

そうした生活の中での息抜きに、国吉には宮武氏との食事や、交友があり、またリーグの友人達との語らいがありました。国吉と仲のよかった同級生は、恋人であり妻となったキャサリン・シュミット、レジナルド・マーシュ、アレクサンダー・ブルック、ペギー・ベーコン、ヘンリー・シュナッケンバーグなど、日本ではあまり名は知られていませんが、アメリカ美術界の一流画家たち、そして美術評論と美術館運営にその名を残したロイド・グッドリッチなどがおりました。この人達との終生の付き合いについては、また折りにふれて紹介したいと思います。

ケネス・ヘイス・ミラーは、国吉に特によく目をかけて美術に対する考え方を丁寧に教えて行き、国吉もそれを懸命に消化して行きましたが、実際国吉が当時どのような勉強をして

図3　足に手を付ける左向きの裸婦　1916-18年頃　エッチング　両備文化振興財団

図2　ネックレスを付けた女　1916-18年頃　ドライポイント　両備文化振興財団

いたかは、あまり作品が残っていないので、はっきりとはしません。しかし、まとまったものとしては、四十四点のエッチングが残っています。これは残っているというよりは、国吉の友人であった、ニューヨーク在住の画家であり、また額縁制作家でもあった臼井文平氏が保管しておいたもので、長い間、国吉自身は臼井氏に焼却を依頼し、存在しないものと思い込んでいた作品群です。

国吉は、エッチングのクラスを取っていたわけではないので、どのようにして制作したのかはっきりとはしないのですが、リーグのプレス機を使ってこれらの作品群を制作しました。いずれも簡素な線描で、ルノアール風からマチス、ピカソ風のものまで、いかにも習作といった作品ばかりですが、線描の確かさと、研究の熱心さは十分に伝わってきます。国吉は、一九三〇年にニューヨーク州ウッドストックにサマーハウスを建てて、それまでのアパート暮らしでたまったものを移しましたが、その時に、自分の初期の習作で手元にあったものはほとんどを焼却したり、壊したりしました。既に一流画家の名を高めつつあった国吉は、自分の修業時代の作品が残ることを大変いやがっていました。それは、一九四八年のホイットニー美術館の回顧展の時の作品選考の時にも、国吉はかなりはっきりと主張して、一九二二年の個展デビュー以前の作品を除外するようにつとめています。

これは国吉が自分の制作中の姿を人に見せなかったのと同じように、きわめて自作に対しての管理と、自分のイメージを大切にした、国吉の性格から来ているものだと思われます。私達はそうした国吉の几帳面さの間をかいくぐって、習作を残してくれた臼井文平氏に感謝しなければならないかもしれません。実はこうしたエッチングが残っていることを国吉が知ったのは、一九四八年の回顧展のためにグッドリッチが臼井氏を訪れてその存在を確認して、国吉にどのような事情の下にエッチングを制作したのかと質問した時でした。国吉は、てっきり焼却されてしまったと思っていた作品が残っている事に驚いたようですが、リーグ時代に習作として数点ずつ刷ったものだと答えています。回顧展への出品は、もちろん断りましたが、不思議なことに、国吉は臼井氏に再度の焼却は求めませんでした。

国吉と臼井氏との交友も、他人から見ればすこぶる不思議な関係でした。二人が知り合ったのは、一九二〇年代の半ば頃らしいのですが、臼井氏は、国吉作品の額縁制作の大半を引き受け、国吉はその額縁代金のかわりに臼井氏に何点もの作品を与えました。しかしそれは二人の間だけでの合意で、国吉作品を扱っていたダニエル画廊や、ダウンタウン画廊も与かり知らぬ事でした。臼井氏はおそらく国吉が最も信頼していた日本人の一人であり、二人の間には、明治人間独特の男の友情のようなものがあったのでしょう。私は、臼井氏と何度もお会いしてインタビューをしましたが、そのたびにドローイング、リトグラフ、エッチングをはじめ、何点もの油彩を国吉から貰ったものだと言って見せていただきました。今、その作品のほとんどは日本に渡って各地の美術館に所蔵されています。

話が少し横道にそれてしまいました。リーグ在学中の国吉の油彩に話を戻しましょう。前に書いたように、国吉は、一九二二年以前の作品、すなわち最初の個展を開くまでの作品についてはことごとく手元にあったものは焼却してその軌跡を消そうとしましたが、すでに売ってしまったものについては、手のほどこしようがありませんでした。しかし、一九四八年の回顧展への出品は全て断わって、自分の納得した作品だけしか展示する事を許しませんでした。一方で絵を売りながら、一方では習作時代の作品を焼却するという国吉の態度は、画家には珍しくない心理によるものですが、そうした中からも幾つかの作品が現在まで残っています。それらの作品は、いずれも印象派風のもので、屋外で描かれたものが多いのが特徴です。この事について、国吉は未発表資料の中で、次のように書き残しています。

「昔、私がこのウッドストックでジョン・カールソンのもとで学んでいた画学生の頃、私はとても精力的でした。かなり大きなカンバス（50・8×61・0㎝ないし61・0×76・2㎝）を午前中に一点、午後にも同じサイズのものをもう一点仕上げたりしたものでした。夏の間に、私は通常六〇点から七〇点の作品を描いていたのです。［中略］

私が学生だった頃、私たちは屋外で直接描くようにと教えられていました。それは印象派の画法であり、私たちは、照りつける太陽の下の野外で描くより他の方法を信じてはいなかったのです。」（これは一九四四年八月二十四日付の資料で全文の翻訳は、国吉康雄美術館報第五号、一九九四年五月五日発行に収録されています。）

明るく沢山の色を使ったこれらの習作は、そう多くは残っていませんが、国吉の真剣な勉学と努力の証しとして貴重です。しかし、もっと大切なのは、こうした習作を数多く描くうちに、次第に自分の納得する方向へと歩み始めた事でした。一九一六年、一九一七年と、屋外での制作に精力を費やした国吉は、こうした制作方法に疑問を感じるようになります。それは、屋外制作に付き物の悩みである画面のひび割れ、などの問題とともに、印象派の画法への疑問でもありました。また、ニューヨークの短い夏を、勤労奨学金のお陰でリーグのウッドストック夏期学校で過ごす間は、こうした制作が可能であっても、早い秋の訪れと長い冬の間は、屋外での制作など思いもよらないことや、ニューヨーク市に戻れば、激しい肉体労働と勉学の両立に立ち向かわなければならない国吉の、当然の疑問でした。そうした中で、国吉はミラーの教えを次第に自分のものにして行ったのです。即ち、巨匠の作品をじっくりと研究する事、印象派のような沢山の色を用いなくても、トーンによって色は表現できる事、対象物を前にしなくても絵は描ける事、むしろその方が自己表現としては正しい事、等々という、ミラーの言葉でした。

一九一七年の秋から、国吉は屋内での制作に重点を移して、対象物を前にしない作品を描きはじめます。それは、新聞が報道する第一次世界大戦による難民や、キリスト教に題材をとったイエス・キリストの受難といったテーマの作品です。ミラーの指導によって、色も極端に抑えるようになります。国吉は、キリスト教について、当時すでにかなりの理解をしていたようで、それは多分、ニューヨークに来てまもなく、日本人のキリスト教会に寄宿した事があったりした事とも関係があるのかもしれません。前述の宮武　繁氏がアップタウンのそうした施設に寄宿していたように、国吉もキリスト教関係の施設に住んだ事がある事は、グッドリッチが作品の調査をした時に、ごく初期の作品の情報がこうした教会からもたらされた事からも確認されています。宮武氏もこの頃の国吉について次のように述べておられます。受賞についての事実確認はできないのですが、注目すべき記述ですのでここに引用しておきます。

「一九二二年の春、ブルックリン・アカデミーに出品した「クリストの受難」(三十号大)でアカデミー賞を獲得した。おそらく十七才で渡米して十幾年後最初の褒章だったと思う。この前後にはよくクリストを題材にした宗教画風の制作をした。油絵は殆どなく、多くはデッサンだった。」

いずれにしても、国吉はイエス・キリストの受難や戦争の生み出した難民をテーマにした作品をいくつも描きました。そして、その内の一点をアカデミーに対抗して組織されたインディペンデント展に出品してみました。今はもう所在のわからない『難民』(一九一七年)という作品(水彩か油彩か不明)です。インディペンデント、すなわち独立展は、アメリカ美術界の動きの上では重要なイベントで、反アカデミーの総連合ですが、だからといって、ここに出品した人達がアカデミーの展覧会に出品しなかったわけではありません。実際国吉はペンシルヴェニア・アカデミー・オブ・ザ・ファイン・アーツには毎年出品しましたし、他の多くの画家達も同様でした。つまり画家にとっては、アカデミーでも反アカデミーでも、出品できる機会があれば、何にでも出品するわけで、ごく限られた教条主義的保守と革新だけが口論をしていたというのが、当時のアメリカ美術界の実情でした。国吉にとっては、論争より、現実に自分の作品の発表の機会の方が、はるかに大切であり、彼のサークルの仲間達もほとんど同意見でした。そしてこの『難民』という作品は、インディペンデントに出品する前に、実はナショナル・アカデミー・オブ・デザイン展に出品して落選していたものでした。

図1　路傍の人たち（難民）　1916-18年頃　ドライポイント　両備文化振興財団

国吉は、難民をテーマとした作品をミラーのクラスで描いたようです。第一次世界大戦が生み出した多くの難民は、当時のヨーロッパとアメリカの大きな問題であり、ミラーはこのような時事トピックを課題に出していたのでしょう。展覧会に出品した作品とは別に回顧展のための情報収集の過程で、ミラーのクラスで国吉と共に学んだA・A・シャンパニアーという人から『難民』と題された油彩の写真と次のようなエピソードが報告されています。その油彩は、国吉がクラスで描き上げたあと、カンバスの裏を使うようにとシャンパニアーが貰ったもので、表には国吉の『難民』、裏には自分の作品が描かれているというのです。

この作品の写真を見ると面白い事がわかります。それは、ドライポイントの作品『路傍の人たち』（一九一六－一九一八年頃）を全く反転させた構図で描かれているという事です。油彩を原画として制作したものの、独学の悲しさで、プレスした時に構図が反転する事を考慮にいれないままに制作したのではないか、と思われます。おかげで私達は、国吉の『難民』の連作が、どのような作品であったかを、おぼろげながら推測できるのです。また、エッチングのタイトルは、便宜上あとから国吉以外の人が付けたものであり、国吉自身は難民を描いたつもりだったのでしょう。

一九一八年春のインディペンデント展に出品した『難民』は、とりわけ注目されたわけではなかったのですが、国吉はよほどその出来栄えに自信があったのでしょう、展示後すぐに父のもとに送ったと回想しています。そして、この作品を見た人と、国吉は運命的出会いをします。それはインディペンデント展の主催者であり、アメリカ美術の育ての親の一人でもあるハミルトン・イースター・フィールドとの出会いでした。フィールドは謎の多い裕福な人物で、美術コレクターであり、美術批評家であり、雑誌出版者であり、ピアノ教師でもあるといった、一言でいえば、生活に何不足ない文化人でした。ヨーロッパに長く住み、フランスの美術の動向を肌で吸収して身に付けていた彼は、アメリカに戻ってからは、ニューヨーク市のブルックリンにあるコロンビア・ハイツに何軒ものアパートを持って、『ブルックリン・イーグル』という日刊紙に美術批評を書く一方、『ジ・アーツ』という月刊誌を出版していました。そして、メイン州のオグンクィットという寒村に、いくつものスタジオを建て、ここで夏のあいだ美術を若い画家達に教えたり、ピアノ・レッスンをしたりしていたのです。

フィールドは、インディペンデント展に出品した国吉の作品に注目し、接触をはかりました。そして国吉の並々ならぬ才能を確かめると同時に、苦しい学生生活についても知りました。そして、この日本から来た異才を経済的に援助する事を約束したのです。つまり、フィールドは国吉のパトロンになったのです。そして一九一八年の夏、メイン州オグンクィットのスタジオの一つを国吉に無料で提供して、一週間十五ドルの生活費を与えて画業に専念できるように計らいました。

国吉はフィールドの援助を受ける事にしました。しかし、同じようにフィールドのオグンクィットのスタジオに暮らしている同級生達、ロイド・グッドリッチやバーナード・カーフィオルなどが、家賃を払ったり、授業料を払ったりしているのにくらべて、自分だけが生活費までもらって暮らしている事に心苦しさを感じ、何か仕事をくれるように頼みました。しかしフィールドは、何もしなくて良いと取り合ってくれません。国吉は、それでは居心地が悪いから、と言うと、では自分の運転手になれ、とT型フォードの運転を命じました。国吉は自動車の運転などした事がありません。何とかなるだろうとやってみたところ、たちまち事故を起こし車をこわしてしまいました。それ以後、国吉もフィールドもこの件については何も言わなくなったというエピソードが残っています。

このオグンクィットでの夏の生活は、文字通り画業に専念できる素晴らしい時間でした。朝から晩まで、屋外で、あるいはスタジオで、国吉は制作に没頭しました。そしてフィールドから、東洋美術についての多くの知識を得ました。日本で美術に接する機会のほとんど無かった国吉は、フィールドの東洋美術、特に浮世絵のコレクションを前にしての説明から多くのものを学びました。形を真似るのではなく、自分の内から起こってくる芸術的衝動を大切にして絵を描くようにと教えられ、国吉は自分の中の東洋人の、いや日本人のアイデンティティーにもとづいた絵を描くようになって行きます。それは一つは、線描によるインク画の制作であり、もう一つは、近くのものを画面の下の方に、遠くのものを上に描く、鳥瞰法(bird's-eye view)と呼ばれる描き方であり、また時間的経過を一つの画面の中に描き込んで、時間を封じ込めてしまう、そうした東洋的あるいは日本的な絵画表現の方法でした。国吉はこうした、フィールドから教示を得た方法を自分の絵画の中に少しずつ取り入れ消化して行きます。夏のオグンクィットの生活は、それこそ芸術家の理想郷であり、特に国吉にとってはそうでした。

フィールドは秋になると国吉にブルックリンにあるアパートの一室を使わせた上に、毎週十五ドルの生活費を与えました。パトロンに支えられる学生生活は、それまでの彼の生活とはうって変わったものとなります。依然として勤労奨学金をもらって、リーグの中での雑用をこなしていても、友人達に誘われれば、映画や演劇にも行けるようになりましたし、音楽にも親しむことができるようになりました。ニューヨーク市のこうした芸術文化の開花に、国吉も飛び込んで行ける余裕ができたのです。ブロードウェイの劇場での観劇の後、アフター・シアター・ディナーを食べながら友人達と語り合うという、考えられなかったような事が可能になりました。新しい演劇、新しい音楽、映画、そして新しい美術、国吉はそうしたニューヨークの文化を充分に吸収し、自分の中に取り入れる事ができるようになったのです。

一九一九年になり、また夏が近付いて、国吉はフィールドとともにオグンクィットに行き、画業に没頭しますが、キャサリンとの結婚についてフィールドに相談を持ち掛けたのはこの夏の事でした。キャサリンと国吉は知り合って三年になりますが、国吉もキャサリンもまだ無名の学生であり、ともに貧乏で、フィールドというパトロンなしに結婚などとても考えられない情況だったからです。フィールドは二人の結婚に賛成でしたが、この国際結婚にはいくつもの困難な問題がありました。その一つはキャサリンの両親の強い反対であり、またアメリカの結婚に関する、特に永住ビザへの変更に伴うさまざまな人種的な法的制限です。

フィールドの励ましと二人の固い決意でこの結婚は行われ、友人達のカンパなどで二人は新婚旅行にも出掛けました。二人はフィールドの持つスタジオに住み、秋になるとブルックリン・ハイツのフィールドのアパートに住む事になりました。国吉にとってはそれまでの生活と同じように、フィールドの援助を受けた生活で、大きな変化はありませんでしたが、キャサリンにとっては少し違っていました。

それは、キャサリン自身が後にグッドリッチとのインタビューで述べたように、「潔癖すぎる性格」によるもので、一週間十五ドルというお金をフィールドから受け取り続けているという国吉とフィールドの関係に対して、はっきりとしたけじめをつけた方が良いという意見でした。国吉にとっては、出世払い的な気持ちがあり、フィールドの方も一度も国吉に代償を求めた事はなく、毎週きちんと小切手で十五ドルを渡し、旅行などで直接渡せない時には、先付小切手を用意して渡すという几帳面さでした。

キャサリンとしては、結婚前ならともかく、結婚後もそうした慈善的な行為を唯々諾々と受け続ける事は彼女の矜持が許しませんでした。精神的な庇護は受けても、実質的な援助は、住居の無料借用にとどめるべき、というのがキャサリンの言い分でした。フィールドは彼女の意見を尊重し、国吉の生活費援助は打ち切られる事になりました。国吉は、カメラの技術を習得して、美術作品の撮影を専門とする写真師となり生計をたてる、一方キャサリンは陶器店で働いて家計を助ける、こうして二人の新婚生活がはじまりました。

この金銭問題には裏話があり、キャサリンが「潔癖すぎる性格」という事だけで自らの生活を振り出しに戻すような態度をとった、というのは実際には少し事情が違うようです。フィールドは、先にも述べたようにきわめて謎の多い人で、文化人としては申し分のない人でしたが、同性愛者であり、恋人のロバート・ローレントという彫刻家と二人でさまざまな活動をしてきました。国吉に対しては同性愛的な気持ちでなく、純粋に異国から来た若い才能のパトロンとしての立場をとり続けたのですが、画家仲間では周知の事実も、国吉の妻となったキャサリンにとっては、はっきりとしておきたい第一の問題が、二人の間の金銭関係だったのです。

キャサリンのアメリカ人としての、また独立した女性としてのプライドは、あえて困難を承知で、国吉をフィールドのもとから独立させて、自分と二人で生活を立てて行くという方向を選択させました。キャサリンの精神的な強さは、この事を着実に実行に移して行ったことにあらわれています。その日その日を過ごす事を積み重ねて生きて来た国吉にとって、キャサリンの生き方は、計画的で目標に向かってしっかりと歩むという正反対のものでした。フィールドからの援助は、ブルックリンのアパートを借りる事だけにして、二人は働いて生活をしました。それは苦しいものであっても、国吉はもう独りぼっちではなく、昼も夜も語り合える妻を得たのです。キャサリンはリーグをやめて国吉の勉強を助けるために働きますが、国吉も写真師として働きながらの学業に疲れ、ついに一九二〇年にはリーグから退学します。そして夏にはオグンクィットのフィールドのスタジオで、二人揃って制作にいそしむ毎日を送ります。国吉は、少しずつ、自分のスタイルを作り上げながら、充実した夏を過ごしたのでした。

キャサリンは時代の先端を行く女性であり、知性と教養と思いやりのある人柄で、友人達の中でも素晴らしい人として通っていました。また社交家で実行力もあり、国吉のために多くのパーティーに出て、数多くの人に会い、何とかデビューさせようと努力しました。国吉の作品を持ち歩いて、画廊を回って個展をしたいと交渉したのはキャサリンでした。それは、国吉からすれば、フィールドという金銭的なパトロンを失ったかわりに、有能なマネージャーを得た、というところだったかもしれません。そうして、一九二一年になると、キャサリンの努力が実って、ダニエル画廊に、二点の作品を展示することができました。またペンシルヴェニア・アカデミー・オブ・ザ・ファイン・アーツ主催の『最近の動向を示す絵画展』にはじめて入選を果たしました。国吉の名前が、少しずつ雑誌にもあらわれるようになりました。もちろんそれは国吉の実力が評価され始めたためですが、その陰には、キャサリンの弛みないマネージャーとしての努力がありました。パーティーなどでは、国吉はキャサリンの夫という形で、口数の少ない、いつも隅にいるような状態でしたが、そうした引っ込み思案の国吉を立てて、キャサリンはできるだけ多くの人に国吉の才能を知ってもらおうと力を尽くしたのです。

一九二二年という年は、国吉にとって大きな意味を持つ年になりました。その一つは、前年に二点の作品を展示してくれたダニエル画廊が、はじめて個展を開催してくれた事です。当時のニューヨークで現代アメリカ美術を扱う画廊は少なく、アメリカ美術専門という画廊はダニエル画廊以外にほとんどありませんでした。画廊とはいっても、それは謂わばスペースに過ぎず、暖房もないビルの一角にありました。しかしそこで展覧会、それも個展、ができるという事は夢のような出来事でした。

そしてもう一つ、一九二二年にフィールドが死去しました。国吉の個展デビューを非常に喜び、『ブルックリン・イーグル』紙に長文の批評を書いたフィールドは、パトロンとして、教師として、国吉にとっては掛け替えのない人でした。大きな喜びと大きな悲しみを同じ年に経験した国吉は、この年を境にして、無名の東洋人画家から、アメリカ現代絵画の旗手として出発するのです。

第四章　ダニエル画廊とデビュー

国吉が最初の個展を開く事ができたダニエル画廊は、一体どんな画廊だったのでしょう。実は、この画廊とその持ち主であったチャールス・ダニエルについては、驚くほど謎が多く、また名前だけは知られていても、その実像を知る人がきわめて少ない人と画廊でした。ニューヨーク市にあるザブリスキー画廊が、一九九三年十二月二十二日から一九九四年二月十二日まで『チャールス・ダニエルとダニエル画廊　一九一三―一九三二』という展覧会を開いて、大いに注目を集めたのですが、この展覧会の組織にあたった人々が、それこそ血まなこになって資料を探し求めても、ほんのおぼろげな人物像と、画廊の活動の実体をつかまえる事ができたに過ぎません。アメリカで国吉を最初に取り上げてくれた画廊の姿は、そんな風に、幻のように消えかかっているのが実情です。

もちろんそれには理由があります。ダニエルが極端な秘密主義者で、自分の事については、どこに住んでいるかさえ明かさなかった事や、記録というものを一切残さなかった人であったため、画廊の運営などについては不明の事ばかりだからです。奇人ともいうべき画廊主でしたが、彼の現代美術に関する目は確かでした。少しだけでもダニエルの歩んだ道を辿ってみればそれがわかると思います。

チャールス・ダニエルは十番街の二十八丁目にあったドイツ料理店主の子供として一八七

九年に生まれた九人の丁度真ん中の子供だったそうです。両親はドイツからの移民で彼はアメリカ生まれですが、たいした教育も受けずに育ち、兄弟で九番街の四十二丁目にカフェーを開きました。そして、カフェーの経営をしながら、次第に現代美術にひかれるようになって行ったのです。最初は客としてやって来る画家達と親しくなり、その人達との会話から、自分もコレクションをはじめてみる気になったようです。そして一九一〇年に、アルフレッド・スティーグリッツの有名な画廊「２９１」に行き、作品を買いはじめます。スティーグリッツは、写真家で、写真を芸術として扱った最初の人であるだけでなく、「２９１」という名の画廊を通してヨーロッパの前衛美術をアメリカに紹介したパイオニアでもあり、また有名な女流画家ジョージア・オキーフの夫でもありました。そのスティーグリッツのもとにダニエルは熱心に通い、作品を買って行きました。その事をスティーグリッツは「酒場の主人が美術に手を出すぐらいなんだから、アメリカは確かに現代美術に目を覚ましたのに違いない」といささかシニカルに言ったと伝えられています。

ダニエルはこうして現代美術にのめり込んで行き、ついに一九一三年にカフェーの自分の権利を兄弟に売って資金を作り、四十七丁目西二番地のビルの最上階を借りて、ダニエル画廊をオープンしたのです。画家のロックウェル・ケントが内装を担当し、マン・レイが手書きのカタログをデザインするために雇われました。今からはとても考えられない人達がダニエルのまわりにはいたわけです。こうして、コレクターから画廊主になったダニエルは、自分が才能を認めた人の作品を展示する思い通りの画廊を持つ事ができました。それは丁度

「アーモリー・ショー」によって、ニューヨークの市民がヨーロッパの現代美術にはじめて接した年でもありました。しかし、まだ始まったばかりのアメリカ現代美術の活動の中で、画廊を持って絵を並べても、ビジネスとして成り立たせるのは困難です。ましてコレクターとして出発したダニエルが経営して、自分の気に入った当時の前衛的な画家の作品を展示しているのですから、よほどうまく経営しなければたちまち行き詰ってしまいます。ダニエル画廊は、あまりにも早く開きすぎたために、経営上の不安定さを抱えたままオープンし、それは一九三二年の家賃滞納による強制閉鎖に至るまで、ついに脱却することのできない経済問題でした。

こうした美術界の情況の中で、最後には倒れたとはいえ、一九三二年まで画廊経営を続ける事ができたのは、少数ではありましたが、コレクターがダニエル画廊のアーティストの作品をコレクションの中核にしてくれたからでした。その代表的なコレクターが、フェルディナンド・ホーワルドという人物でした。ホーワルドは一八五六年スイスに生まれ、幼児の時にアメリカに移住し、オハイオ州コロンバスの近くで育ちました。彼が財産を成したのは、西ヴァージニア州の炭鉱経営によるもので、すでに四十歳台で大金持ちになっていました。奇人のダニエルとホーワルドは、とても気が合い、前衛美術について語り合いながら、海鮮料理を食べるのを楽しみにしていたという事です。美術の好みも一致するところが多く、ホーワルドは自分のコレクションのほとんど全てをダニエル画廊を通じて購入しました。現在ホーワルドのコレクションは、オハイオ州の二つの美術館に寄贈され、アメリカ美術最大のコレクションの一つになっています。本当はコレクションをそのまま一つの美術館に寄贈したかったのですが、色々の事情から二つに分けられました。その総点数は三〇〇点以上になると言われ、その中には現在コロンバス美術館所蔵の『夜明けを告げる雄鶏』、『果物を盗む少年』、『泳ぐ人』など、国吉の代表的な初期の作品が含まれています。

ともかく、このホーワルドをはじめとする数人のコレクターや美術館が、ダニエル画廊を存続させたのです。ダニエル画廊は、一九一七年にスティーグリッツの「２９１」画廊が閉鎖した時には、ジョン・マリン、チャールス・シーラー、といった当時の最先端を走っていた有能な画家達を専属に迎えるほどに力をつけていました。開設してから閉鎖になるまでの十九年間、二百名以上の美術家の作品を展示し、二十九名の若い画家や彫刻家の最初の個展を開催した事がわかっています。もちろん国吉はその中の一人でした。

ダニエル画廊は、国吉のほかに、チャールス・デミュース、マン・レイ、ピーター・ブルーム、ラファエル・ソイヤー、カール・ナッツ、ナイルス・スペンサー、プレストン・ディキンソンなど、日本ではあまり知られてはいませんが、アメリカ美術史上不滅の名を誇っている人達を専属に抱えていました。そして、アメリカ美術批評のパイオニアともいうべき存在のヘンリー・マクブライドの健筆が、ダニエル画廊の名を知識人達に広めました。才能のある美術家を集め、上質のコレクターを持ち、理解ある批評家に支えられて、ダニエル画廊は、アメリカ現代美術のゆりかごの時期に、理想的なかたちで成長して行きました。

しかし、結果的にダニエル画廊は一九三二年に家賃滞納でビルの持主から訴えられ、保有していた百七十点の作品は差し押さえられました。この差し押さえの法的な記録は残っていませんし、何があったのか本当のところはわかりません。十年後の一九四二年に、ノードラー画廊が、差し押さえられた作品群を買い取り、少しずつ売却して行ったようです。画廊閉鎖とともに姿を消していたダニエルのために、ダニエル画廊から巣立った画家達が集まって、一九四三年に国吉を司会者とした夕食会が開かれた事が記録に残っています。しかし、ダニエルの姿はこの後まったく美術界から消えてしまいました。

しかし、美術界に大きな足跡を残したダニエルは、孤独に、寂しく美術から遠く離れたところでひっそりと生きていました。アーティストとも、批評家とも、コレクターとも、何の連絡も取らず、あらためて、本当に彼はどこに住んでいたのだろうか、家族はあったのだろうか、などと彼を知っていた人々が話し合った時も過ぎ、彼の名前がほとんど人の記憶から忘れ去られてしまった頃、一九六一年十二月に、忽然とザブリスキー画廊に姿を現しました。ラファエル・ソイヤーの小品をこわきに抱えて売りに来たのです。ザブリスキー画廊の持ち主であるヴァージニア・ザブリスキーは、ダニエルが亡くなった一九七一年まで、彼が持ち込んで来るかつての彼のコレクションを購入しながら、音楽会に誘ったり、食事をしたりして、売り食いで暮らしている老画廊主との交友を続けました。彼女によれば、ダニエルの現代美術への情熱は変わらず、鋭い批評眼は、かつての若いアーティストを発見し育てた頃の姿を彷彿とさせたそうです。貧困と挫折の中で、ダニエルは九十二歳の生涯を終えました。

いつの日か、このコレクターからはじまって画廊主となり、多くの若い画家に援助を与えながら、ほとんど何も残さずに死んで行ったチャールス・ダニエルについて、まとまった伝記を書く人が現れてほしいものです。

さて、国吉はこのダニエル画廊で、一九二二年一月に、はじめての個展を開きました。期間はわずか一週間でした。四つ折りにした紙に、国吉自身がデザインした牛の木版画をあしらったカタログも作りました。十点あまりの作品、それもドローイングと油彩をまじえて展示して、国吉は毎日ストーブも無い寒い画廊に通い、見に来てくれる人を待ちました。アメリカ美術専門の画廊を訪れる人はそう多くはありませんでしたが、現代美術の批評家達は訪ねて来てくれました。『ニューヨーク・ヘラルド』紙のヘンリー・マクブライドがまず取り上げてくれました。『ニューヨーク・トリビューン』紙、『ニューヨーク・イブニング・ポスト』紙、『ニューヨーク・アメリカン』紙など、次々と好意的な批評を載せ、パトロンのフィールドも『ブルックリン・イーグル』紙に精一杯の紹介記事を書いてくれました。若い無名の画家にとって、これ以上望めないほどのデビューだったと言えるでしょう。

いくつかの新聞は、作品写真も掲載しましたが、それは全て『野性の馬』カラー図版10という作品でした。この作品は現在国吉康雄美術館に所蔵されています。国吉は、最初この作品を出品するのをためらっていたようですが、妻のキャサリンの強い勧めで展示に同意したそうです。この事は、マクブライドが文芸誌『ダイアル』に寄せた記事に書かれています。それはこの作品がきわめて東洋的な印象を与えるのを国吉自身が好まなかったからだと思われます。そして、国吉の思った通りに、批評家達は『野性の馬』の持つ東洋的雰囲気について競って書き

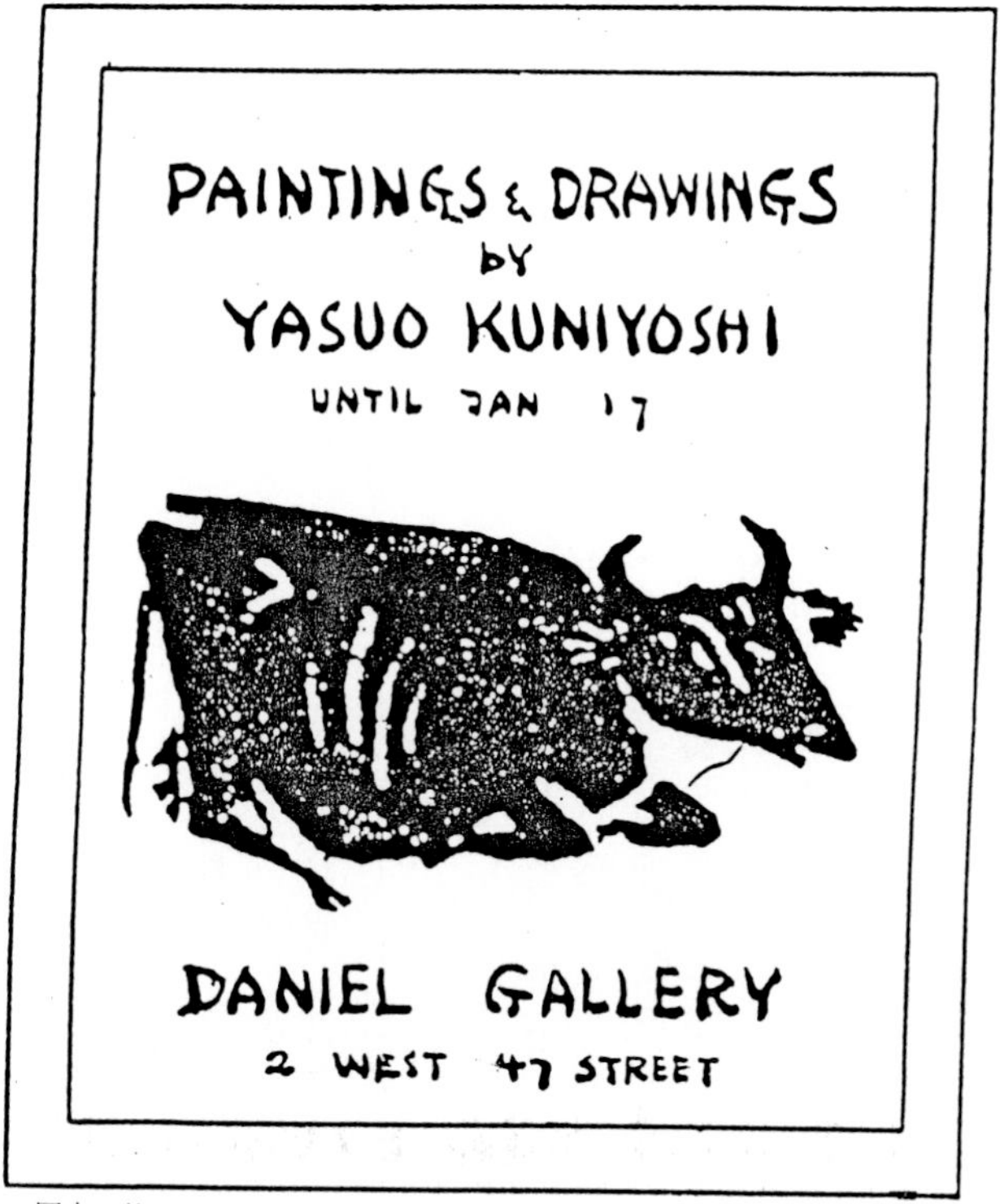

国吉の第一回個展カタログの表紙（1922年）
（スミソニアン協会アーカイヴス・オブ・アメリカン・アート蔵
国吉康雄スクラップブック，マイクロフィルム　No. D176 収録）

立てました。国吉は、自分が日本人という特殊な存在であることを書き立てて欲しいとは思っていませんでした。いささか珍しい名前を持ったアメリカ人画家のデビューとして扱って欲しかったというのが本音だったようです。

アメリカ人画家として扱ってもらいたいという国吉の願望は、その後の制作においても常に国吉が望み続ける事になる問題でありました。すなわち、芸術における民族性、個性における血の問題、一人の人間としてのアイデンティティーの問題、といったアメリカ人がいつも考え、話題にし、時には人種問題として大きな事件にもなるアメリカの宿命的な課題について、国吉は、デビューの時にあたえられた「日本人」というレッテルと闘い続ける事にもなったからです。

アメリカ人とは何か、誰がアメリカ人であり、誰がアメリカ人にはなれないのか、それは個人の問題なのか、肌の色の問題なのか、心理的なものか、後天的な知性や教養の問題なのか、こうした問いかけに対して、アメリカに住む人々は市民権を持っているとかいないとかという法律的な事としてではなく、自分自身の問題として、いつも考えています。こういった問題について日本ではあまり日本人が深く考えたり討論したりする事はありません。何故なら、アメリカは移民の国であり多民族国家であるのに対して、日本は単一民族国家といって良く、国の構成員としての人種や民族の在り方がまったく違うからです。一方、アメリカに住む人々は、この問題について考えた事のない人は無いといって良いでしょう。

当然、国吉もこうした「アメリカ人」についての問題を、アメリカに到着したその日から考えはじめたに違いありません。日系人社会で過ごした四年間、画家になる事を目指してニューヨーク市に移ってから十二年間、国吉はひたすら「アメリカ人」になる事を考え続けていたといっていいでしょう。そして、一九二二年のデビューの時に国吉は自分の考えるアメリカ人像を、決して東洋人である自分のありのままの姿に置いていなかった、という事は確かです。デビューの頃の国吉は、自分のアイデンティティーを東洋人あるいは日本人としての自分に置いていたのではなかった、という事はとても重要な事ですので、この事について少し深く考えてみたいと思います。

国吉の考えていた「アメリカ人」とは一体どのようなイメージだったのでしょう。それは、国吉がニューヨークに移って、アート・スチューデンツ・リーグではじめて、日本人以外の友人を持った時からはじまった意識だといえるでしょう。すなわち、一九一〇年までのカリフォルニア時代は、日系人社会というきわめて閉鎖的な社会、すなわちアメリカの中の日本村の住人であり、一九一〇年から一九一六年にリーグに入るまでは、日系人社会からの脱却はあったとはいえ、異邦人としての域を出ないアメリカ在住者に過ぎなかったわけです。その国吉が、昼も夜も、日系人以外の人々と接し、かつ交友を深めだしたのは、リーグに入学して同級生達に仲間として迎え入れられてからのことでした。そして、国吉の「アメリカ人」としての意識は、この頃から形成されて行ったのです。

リーグの同級生には日本人は少なく、また彼の方からこの人達と積極的な交友を求めようとした、という記録はありません。あえて言えば先に引用した宮武さんとの交友などが唯一といって良いでしょう。そのかわり、恋人となり妻となったキャサリン・シュミットやロイド・グッドリッチ、レジナルド・マーシュ、ペギー・ベーコン、アレキサンダー・ブルック、ヘンリー・シュナッケンバーグなどの終生の友人達とは、昼夜をわかたず仲間として付き合っていました。そして、この友人達は皆ヨーロッパ系のアメリカ人でした。すなわち、人種的に言えば白人に属する人達であり、この事は、取り立てて言うまでもない事だと思われるかも知れませんが、大変に重要な事だと私は思います。

さらに重要な事は、この友人達の多くがユダヤ人であったという事です。あえて誰がユダヤ人であるかについて私はここで明らかにしません。ユダヤ人という国際的な被差別民族について、それを堂々と明らかにする人もあれば、必要がなければ、自ら言わない人達も沢山あるからです。二千年にわたる漂泊の民としてのユダヤ人は、あらゆる国で、その国の国民として生きながら、自分達の民族としての誇りと、その絆としての宗教を持ち続けて生きて来ました。そしてユダヤ人は、歴史のあちらこちらで、悪のイメージと結び付けられ、迫害され、追放されて世界中を彷徨い続けました。シェークスピアの『ヴェニスの商人』は、誰でも知っている物語ですが、そこに登場するユダヤ人シャイロックのイメージを思い浮かべるだけでも、この民族がどのような目でヨーロッパ人から見られていたかを想像できると思います。そして、この国吉のデビューの時から二十年後に、ナチス・ドイツがこの民族に対してどのような迫害を加えたかは、アウシュビッツの悲劇を思い起こせば十分ですし、現在もユダヤ人がようやく作り上げた祖国イスラエルが、アラブ人達とどのような争いをしているのか、という事にまで考えを及ぼせば、軽々しく、誰がユダヤ人であるかを書くのが、憚られることを理解して頂けると思います。

話がどんどん横道にそれて行くように思われるかもしれませんが、もう少し辛抱して下さい。アメリカにユダヤ人がやって来たのはそんなに古い事ではありません。短いアメリカの歴史の中でも、ユダヤ人が目立ってアメリカに新天地を求めて渡るようになるのは、十九世紀後半からで、特に多くなったのは今世紀に入ってからです。アメリカは、ユダヤ人にとって新天地であると同時に、最後の砦ともいうべき土地でもありました。漂泊の末に、自由と民主主義をかかげた新天地アメリカに向かった人々は、捨てた国を顧みる事なく、ひたすらアメリカの理想に自分達の運命をかけたのです。

少し数字の上からアメリカのユダヤ人について見てみましょう。現在全米の人口に占めるユダヤ人の比率は二・五パーセント、数にして約五百八十万人です。日系人を含むアジア系の人口が占める割合が一パーセントですから、ユダヤ人は東洋人より数は多いとはいえ、アメリカに住む民族では少数派です。しかし、ユダヤ人は大都市に住んでいる割合が多いので、例えばニューヨーク市では全人口の十六パーセントを占めています。そして、人口的にはわずかに二・五パーセントしか占めていないユダヤ人が、全米上位四百名の大富豪の名前を毎年発表する経済誌『フォーブス』のリストでは、約百名、すなわちアメリカの大金持ちの二十五パーセント近くを占めています。こうしたユダヤ人は、ほとんどが十九世紀末から二十世紀はじめに、ヨーロッパ各地、特に東欧からアメリカに移住した人々とその子孫達です。

ユダヤ人は、間違いなくアメリカに移住して、「アメリカン・ドリーム」を現実に手にした人の比率がきわめて高い民族・宗教集団だといえるでしょう。

このようなアメリカのユダヤ人は宗教的戒律をしっかり守っているオーソドックス派、戒律から自由なリベラル派、そしてその中間的なコンサーヴァティブ派の三つにわけられますが、こうした宗教的な分類から一歩出てしまえば、その存在は千差万別です。今ではあらゆる職業に従事して、努力、忍耐、確固たる目的、節約、倹約といった価値観と上昇志向で、アメリカでの成功を勝ち取り、あるいはその途上にある人々が多く、アメリカのユダヤ人は、ようやく身の置き場所を得たという安心と、さらなる成功を目指そうとするエネルギーに溢れています。戦後は、驚くべき勢いで中産階級に入り、なお上昇志向を持ち続けながら、他民族との結婚は二世、三世と世代がかわるにつれて多くなり、男性の六割近くが他民族と結婚して、急速に民族性も失いつつあるというのが現在の状態です。

ユダヤ人ゆえの差別は、アメリカではずっと少なくなり、中産階級化するにつれて民族性さえも消え去ろうとしている現在のユダヤ系アメリカ人ですが、でも、この人々にはまだ大きな民族的な絆があります。それは一九四八年に、祖国イスラエルが建国されたことです。漂泊の民であったユダヤ人が、二千年の流浪の末についに祖国を持ったことは他の民族にとっては想像できないほどの喜びであり、悲願の実現であったわけです。しかし、アメリカに移住したユダヤ人は、祖国ができたからといって一斉に帰国したわけではありません。多くのアメリカのユダヤ人達は、アメリカにとどまってアメリカ人として生きながら、イスラエルに対するあらゆる援助を続けるという道をとっています。アメリカがあくまでもイスラエルを援助し、軍事的にも大きな支えになっているのは、アメリカのユダヤ人達の力による面が多い事も事実ですし、アメリカのユダヤ人は、アメリカ人として生きながら、心の支えとしてのイスラエルを援助しているのです。

これが現在のアメリカにおけるユダヤ人の情況ですが、今から八十年前の国吉がアート・スチューデンツ・リーグに通っていた頃のアメリカのユダヤ人の在り方は違っていました。東ヨーロッパから帝政ロシアのポグロム（ユダヤ人の組織的虐殺）を逃れてアメリカに渡るユダヤ人の数はおびただしく、丁度国吉が仲間達と少し遅い青春を楽しんでいた頃には、その数が四百五十万人に達していました。そして、そのほとんどの人々が大都市周辺に住み着き、ニューヨーク市では人口の二十五パーセントにまで達するほどでした。毎日毎日、ニューヨークには船が着くたびに、ユダヤ人の家族がアメリカの地に降り立って新しい生活をはじめました。他の民族、例えば日本人や中国人などと違い、一家で移住する場合が多く、また男性の三分の二は手に職を持つか、頭脳労働者であり、アメリカでの同化もそれだけ早く行われたようです。

アメリカのユダヤ人については、数多くの本が書かれていて、また、その生き方についての研究も多いので、ここではこれ以上書く事はないと思います。ただ、国吉が交友を持ったアメリカ人達の大半が、こうした移民後間もないユダヤ人一世や二世達であった事、それゆえ、国吉の友人達が白人であり、アメリカ人であったと言っても、その中身は当時のアメリカでは白人少数派であり、なりたてのアメリカ人であり、社会的にもまだ完全に認知された「アメリカ人」ではなかったという事が大切です。

国吉に最も影響を持った二人のユダヤ人について考えれば、この事はなおよくわかると思います。その一人は妻となったキャサリン・シュミットであり、もう一人は絵の面で大きな影響を与えたジュール・パスキンです。パスキンについては後に触れますが、キャサリンは、言うまでもなく国吉の最も親しかった人で、国吉のアメリカ人としての意識は、キャサリンを通して得たものが多かったわけです。

国吉とキャサリン（1920年代）

アメリカには「ジューイッシュ・マザー」（ユダヤ人の母親）という言葉があります。子供に対して、宗教的、社会的なユダヤ人としてのしつけに厳格で、日本の教育ママの何倍か厳しく子供を育てる人を揶揄して使う言葉ですが、この言葉の通りに一般的に言って、ユダヤ人女性は子供に対して、ユダヤ人としてのアイデンティティーを重んじて、上昇志向を持たせるような教育をする傾向が顕著です。ユダヤ人男性が、他民族の女性との結婚によって急速にユダヤ人のアイデンティティーを失いつつあるのに対して、ユダヤ人の女性は、たとえ他民族の男性と結婚しても、子供はユダヤ人として育てるという「ジューイッシュ・マザー」になる傾向が強いとも言われています。

キャサリンが「ジューイッシュ・マザー」ほどではないにしても、アメリカで生まれ育ったわけですから、国吉に対して、さまざまな事を教える立場にあり、そういう場合に、アメリカのユダヤ人的思考法を吹き込んだ事は言うまでもありません。また回りの友人達もユダヤ人が大半ですから、国吉は、自分の思想形成の上できわめてユダヤ人的になり、そうした思想の上に立って「アメリカ人」になろうとしていたのだ、ということを理解しておく必要があると思います。彼が生涯、自由と民主主義について語り続け、社会的な問題について発言をし、また行動を起こし、その晩年をアーティスト・エクイティーという芸術家組合の会長として組織の拡大と充実に心血を注いだのも、国吉の思想の根底に、アメリカ人としての意識というよりは、アメリカのユダヤ人の思考とぴったり重なるものをよりどころとしていたことで、すんなり理解できる事が多いのです。

一九二〇年代のアメリカは、こうしたユダヤ人を含む世界各国からの移民に対して、主として労働力の必要性から受入れを拒みませんでしたが、すでに確固とした「アメリカとアメリカ人」の指標を持っていました。それは、アメリカ建国の基本的な考え方と宇宙観、すなわち、ホワイトでアングロサクソンで、プロテスタントである人々の国、すなわちワスプ（WASP）の国アメリカであり、アメリカ人であったのです。この確立された国家観及び国民観は、今もアメリカの中に保守本流として存在しています。このアメリカ合衆国の核になっている考え方の壁は、厚く、強固で、しっかりと根を下ろしています。

あまり、話を横道にそらすのはこの辺にして、国吉に戻りますと、日本人社会から脱却して、国吉が入ったコミュニティーは、こうしたユダヤ人達を多くサークルの中に持った芸術家のコミュニティーだったのです。そして、このユダヤ人達も、多くは一世ないし二世であり、本来のアメリカ人からは遅れて来た人達でした。そして、ようやく辿り着いた安住の地アメリカで、自由と平等と民主主義をひたすら信じ、それを自分達の手にする事を願う気持を持って、「アメリカ人」になろうとしているアメリカ人達だったのです。

大切な事をここでもう一度繰り返しておきますと、国吉の考えた「アメリカ人」は、ワスプという保守本流のアメリカ人ではなく、傍系である、ヨーロッパから来たユダヤ人一世、二世が思い描いた、国家像としてのアメリカと「アメリカ人」像が根底にあったという事です。自分のアイデンティティーとしての「アメリカ人」を、国吉は主としてユダヤ系アメリカ人との交友の中で学び、自分のものとして行きました。それゆえ、国吉の考える自分も含めた「アメリカ人」と、現実のアメリカ人との間には、いくつかのズレが生じてきます。国吉はこの事について考えます。そして、彼の生涯のテーマとなりますが、それが絵の上にどのようにあらわれ、彼がこの問題をどのように書き残したか、については後に触れる事にしましょう。

第五章　ヨーロッパで学んだもの

『野性の馬』にまつわる話を少し長く書きましたが、国吉が出品した他の作品も、もちろん高い評価を受けました。しかし、他の作品が注目を集めるのは、一九二三年の第二回の個展からで、デビューで注目されたのは何と言っても『野性の馬』でした。この第一回の個展出品作品は、一九二二年にウッドストックの出版社から出された「若い芸術家シリーズ」という、複製写真集『ヤスオ・クニヨシ』としてまとめられています。この事も、国吉にとっては望外の喜びでした。デビューしてすぐに作品集が出版される画家など今でも滅多に無いのですが、アメリカ美術がはじまったばかりのアメリカでは、これはまるで夢のような出来事でした。

この第一回個展に出品した作品がもう一点岡山にあります。『鶏小屋』カラー図版9という作品で国吉康雄美術館が所有しています。国吉は、学生時代ほどには屋外での写生をしなくなりましたが、そのかわり屋外で見たもののスケッチをもとに、幾つかの風景や物をスタジオで組み合わせて画面をつくる、という制作方法を用いるようになりました。この頃の作品は、風景や、動物や、人間の営みの断片を綴り合わせて、一つの絵を作り上げるという彼の作風が、油彩画にも、ドローイングにもあらわれています。『鶏小屋』もそうした作品の一つで、野に放たれたり、小屋の中に眠っている鶏、国吉の好んだ類の植物、小さな池、奇妙な形の木、などが、自在に描き込まれています。そして背景は山なのか、道なのかわかりませんが、ずっと画面の上方にまで続いています。この絵には空がありません。どんどん上に重なるように遠景になって行きますが、空は多分画面のフレームのまだずっと上にあるのでしょう。こうした描き方は鳥瞰図と呼ばれていますが、それは文字通り、鳥が高い木の上に止まって下を眺めているような構図を指す言葉です。しかし、よく見れば、国吉の絵は、正確な鳥瞰法に基づいているとも言えません。何故なら手前にある筈のものが意外に小さいかと思えば、遠くのものが大きかったりして、とても統一された視点からの画面構成が行われたとは思えないからです。

国吉には、こうした遠近法や、構図法全般について、きわめて無頓着なところがあります。それは意図的なものか、無意識なものか、いつも人に尋ねられた時には国吉は答えをはぐらかしていました。後年静物画の大作を何点も描いた時、描かれるテーブルが、脚の部分はきちんと描かれているのに、テーブルの表面は必ず前方に傾いていますが、それについて人が質問をすると、いつも「私にはそう見えるからそう描いたのだ」と答えています。そしてまた、「遠近法なんか、私は学びもしなかった」などとうそぶいてもいます。しかし、これは国吉の嘘の一つで、国吉の残したスケッチは、きちんとした遠近法が用いられているものが沢山ありますし、中には定規を使って描いたものも残っています。国吉はきちんとした構図法を充分に知って、承知の上で、わざと遠近法を無視して、求めている効果を出そうとしたに違いありません。それは初期の絵においては、幻夢と現実との混在、そして、後年には、心理的不安定さの表現方法としてきわめて効果的に用いられたと言っていいでしょう。

一九二二年から一九三〇年まで、国吉はダニエル画廊で七回の年一回の個展と、沢山のグループ展に出品して画家として一流になって行きます。そして、一九二二年のデビューの時には、このダニエル画廊時代の国吉の特徴があちこちに集約的にあらわれていたと言っていいでしょう。『鶏小屋』の構図は、国吉が、背景に風景を描く時の典型となり、この絵の鶏小屋の部分に、着飾った娘を描いた『おてんば娘』、木の盥の中に金太郎風の腹掛けをした赤ちゃんを配した『赤ん坊』、乳搾りをする青年を描いた『納屋』、魚釣りをする少年を描いた『釣りをする少年』、着飾って教会に行く少女を配した『良い女の子』といった作品が同じ年に描かれています。つまり、この構図は国吉のお気に入りの構図であり、テーマとするものは変わっても、配置される植物、木、池、小屋、といったものは、ほとんど変わりがありません、言葉をかえて言えば、国吉の絵は、きわめてデザイン化されたものであったのです。一九二二年には描かれなかった空は、年とともに少しずつ、画面の上方にあらわれるようになり、それに伴って、描かれるもののバランスも正常になって行きます。しかし、一九二五年頃までの絵にあらわれる木や植物は、その形が定型化、デザイン化されています。

前にも書きましたが、国吉は牛を描くことで有名になりました。三角形にデフォルメされた特徴のある牛で、そのとんがった形は、他の対象物がそうであったようにきわめてデザイン化されています。残念ながら牛を描いた油彩画は岡山にはありませんが、リトグラフの『乳しぼり』という作品は、国吉の牛がどのようなデフォルメを施されていたかを十分に伝

図17　乳しぼり　1927年　石版リトグラフ
両備文化振興財団

えています。このリトグラフは最初一九二二年にホイットニー・スタジオ・クラブで版画の勉強会が開かれた時に、何人かの画家とともに亜鉛板を渡されて、ぶっつけで制作したものです。一九二七年になってあらためて石版リトグラフとして制作しなおして約五〇部刷りましたが、岡山で見ることが出来るのは、この一九二七年の再制作版です。しかし、構図にはほとんど異同は無く、一九二二年当時の国吉の牛の姿を良く表現しています。牛だけではなく、まわりに描かれている植物もデザイン化されていて、国吉の特異な形へのこだわりがよくあらわれています。

　国吉は、一九二三年の一月にダニエル画廊で第二回の個展を開きました。この個展に出品された作品の一つが岡山県立美術館に所蔵されている『カーテンを引く子供』《カラー図版11》という作品です。これは三頭身くらいに頭の大きな、手足の極端に小さな子供がカーテンを引いている姿を描いています。ちょっと見るとまるで照る照る坊主のように見える子供の顔はほとんど真ん丸です。また体は寸胴で体形のバランスは無視されています。こうしたフォームは、当時の国吉の作品の中でもユニークで、先に述べた幾つもの作品と違って、下三分の一にきちんと床と壁の区切りがあり、床の板もちゃんとした遠近法を用いて描かれています。そして何よりも国吉らしさが出ているのが、右前方に置かれている花瓶と花です。この花瓶は初期作品に繰り返し出てくるものですが、その何れの作品においても、国吉は花瓶の表面に描かれている図柄を丁寧に描写しています。それはまるで、この花瓶を描きたいがために、他のものを配したのではないかと思えるほどです。

一九二〇年に描かれた風景画の一つに『漁村の風景《カラー図版8》』という小品があります。この作品は、ブラウンを基調にした地味な作品で、気を付けていないと見落としてしまいそうです。この作品は、国吉がフィールドの夏の住まいであり、学校経営の拠点でもあったメイン州のオグンクィットで描いた作品の一つです。この年の春にアート・スチューデンツ・リーグでの勉強に終止符を打った国吉は、フィールドから住居とスタジオを与えられて、伸び伸びと、精力的に制作にいそしみます。スケッチブックを抱えて海岸や山を歩きまわり、気に入った風景をスケッチしてはスタジオに持ち帰ってカンバスに向かいます。

さすがに、カンバスや三脚を持ち歩いて描いた学生の頃のような制作はしなくなりましたが、国吉にとっては、自然の風景はとても大切な題材でした。こうした風景画のもとになったスケッチは、決して綿密なものではなく、線描と言って良いものでしたが、それはカンバスに向かう時の心象を引き出す手立てとして用いられたものだったので、細部は必要なかったのです。そして国吉は、ケネス・ヘイス・ミラーから習った重要な事、すなわち、極端に少ない色で、中間色（ハーフトーン）を用いて表現する方法を、この作品をはじめとして、同じ年に数多く試みています。そしてこの傾向は、一九三〇年代から四〇年代までの国吉美学の基礎として完成に向かいます。

パレットの色を少なくすればするほど、色の明暗が重要になってきます。国吉の場合、基調となる色は茶色と白で、その微妙なバリエーションが繊細な感情表現の手段になり、後年、「国吉ブラウン」「国吉ホワイト」と呼ばれるようになる絶妙な色合いを作り上げるのですが、その出発点がこの作品にあらわれています。

『二人の赤ん坊』《カラー図版12》という作品は、国吉の初期作品では牛や鶏とともによく描かれた赤ちゃんをテーマにしています。この絵には、国吉が、フィールドの下で学んだアメリカン・プリミティブ・アートの影響がよく出ています。国吉が手本としたプリミティブ・アートは、写真の発明以前の植民地時代に、ともかく安住の地を得て生活の安定を得た移民たちが、精一杯に着飾って旅の画家達に肖像画を描いてもらった、ささやかなステータスシンボルを中心に発達して来たものです。描かれている人達は、取り澄まして、顔をこわばらせ、本人達の真面目さが何となく微笑ましくなるような肖像画が沢山残っています。

こうした肖像画は、正式なトレーニングを受けた画家の手になるものは少なく、名もない放浪画家や、仕事の休みに筆をとるアマチュア画家達が描いたものが圧倒的に多かったようです。開拓時代から何世代も経て、こうしたプリミティブな肖像画は古道具屋の片隅に追いやられていたのですが、それに注目して収集をしたコレクターの一人がフィールドでした。彼は、そのコレクションを国吉に見せ、国吉もまた興味を引かれました。

国吉の『二人の赤ん坊』は、そうしたプリミティブな絵画の影響を受けているのとは裏腹に、きちんとした遠近法で描かれています。裸の赤ちゃんの隣には晴着を着せられ、靴まではいた正装の赤ちゃんが描かれ、面白い対比を作り出しています。背景のティンカーベルは、プリミティブな肖像画に使われる小道具の一つです。

　国吉の遠近法は、しばしば東洋的視角だとアメリカでは説明されてきましたが、どうやらプリミティブな肖像画から得た知識であった可能性も高いようです。そして正面からプリミティブ肖像画を手本にしたこのような作品では、きちんとした遠近法を用いるといった手の込んだ表現方法を取っています。

　『水難救助員』《カラー図版13》は、発表直後から話題になった国吉のユーモア溢れる作品でしたが、その後、行方知れずになっていました。一九四八年の回顧展のためにグッドリッチはこの作品を捜し出そうとしましたが情報がなく、思い余って国吉に尋ねたところ、日本の友人に与えたという答えをもらってがっかりしたという話が残っています。現在、国吉康雄美術館が所蔵しているこの作品は、戦前から日本に渡って来ていた数少ない国吉作品だったのです。

　国吉の描く海はメイン州オグンクィットの海岸です。アメリカの北東部のそのずっと北のカナダに近い大西洋岸の海ですから、夏でもそう長くは泳いでいられないほど冷たい海です。また、海も青黒くいかにも冷たそうな色をしています。それでも天気の良い夏の日には海に出て泳ぐ人達もいます。この岩に腰をかけて髪に手をやっている娘さんの水着は当時のトップファッションで、水兵帽を被った男はビーチボーイ、今で言えばサーファーといったところを兼ねた水難救助員のようです。これは恋の駆け引きを救助にかこつけた場面のようで、緊張感は全く無いと言って良いでしょう。国吉のオグンクィットの夏には、こんな楽しみも沢山あったに違いありません。

しかし、国吉はこの絵をユーモアのために描いたのではなく、研究テーマの一つであった水中のものをどう描くか、という試みがここではなされています。水中に沈んだ足をどのように描くかは、一九二四年の国吉にとって、取り組むに値する課題で、このためにコロンバス美術館所蔵の『泳ぐ人』や一九二五年の個展出品後、所在不明になってしまった『水中の浴者』などで透明感の研究を行っています。

一九二五年までに四回の個展をダニエル画廊で開き、その度ごとに名をあげて行った国吉は、モダニストの旗手の一人としてだんだん絵を売るだけで生活ができるようになって来ま

図14　岩の上に坐る水着の女　1924年　亜鉛版リトグラフ　両備文化振興財団

図15　リトルジョー　1924年　亜鉛版リトグラフ　両備文化振興財団

した。もちろん妻のキャサリンは仕事を続け、国吉自身も写真家としての仕事を続けながらですが、少しずつ貯えも出来てきました。フィールドの死後も、彼の所有していたブルックリンのコロンビア・ハイツのアパート兼スタジオに住み、フィールドの遺産を相続したロバート・ローレントとは、あらためて金銭的な支払い関係をはっきりした上で、オグンクィットでの夏の生活も続けました。フィールドと違ってローレントは家賃の取り立てなどは厳しく、金銭に無頓着な国吉は、しばしば何のかんのと理由をつけてローレントに作品を持ち去られる事がありましたが、キャサリンが几帳面な性格であったのに対して、国吉はあくまでおおらかな対応を見せていました。しかし、国吉とキャサリンは、次第にオグンクィットでの夏を避けるようになって行きます。そして、楽しかったフィールドを中心とした夏の芸術村オグンクィットは、フィールドの死とともに求心力を失い始め、かわって、ニューヨーク市からほど近く、またアート・スチューデンツ・リーグの夏期学校の開かれるキャッツキル山脈の麓の村、ウッドストックが、国吉とキャサリンの夏の生活の場になって行きます。

国吉のリーグ卒業後の勉強の場所は、主としてホイットニー・スタジオ・クラブとペンギンというクラブになって行きました。ホイットニー・スタジオ・クラブは、現在のホイットニー美術館の前身で、ニューヨークの大金持ち、ガートルド・ヴァンダービルト・ホイットニー夫人が創設したアメリカの若い画家達が勉強できる場所であると同時に、こうした才能ある若い芸術家達の作品を購入・展示するクラブでした。一九二〇年代のはじめから国吉はこのクラブの会合に出席する機会を与えられ、一九二二年に、このクラブでリトグラフ『乳しぼり』を制作した事はすでに述べましたが、これが、国吉の最初のリトグラフでした。もちろん前に述べたように国吉はリーグでエッチングを試みていますし、第一回個展のカタログのために木版画を制作したり、クリスマスカードなども木版で作ったりしていますが、リトグラフは全くはじめてであり、しかもぶっつけ本番の制作でした。

ホイットニー・スタジオ・クラブはホイットニー夫人の肝入りで始められ、資金も夫人から出ていたのですが、実際の運営はジュリアナ・フォース女史が行っていました。彼女のアメリカ美術に果たした貢献の大きさは、最近幾つかの本になって出版されていますが、彼女の目がクラブに参加出来るか出来ないかを決めていたのです。国吉は彼女の鑑識眼にかなった資質と才能を持った若者だったのです。

ホイットニー・スタジオ・クラブは、若い芸術家の勉強の場から次第にテーマを持った展覧会を開く場になって行きますが、一九二四年四月には、国吉が『肖像画と宗教画』という展覧会を組織しています。勿論これも同クラブの勉強の一つで、フォース女史からこの展覧会の準備一切を命じられたのです。ホイットニー・スタジオ・クラブは、その設立の時から「アメリカ」美術を意識しており、あくまでもアメリカに固執する事によってアメリカ文化の花が開く事を目指していました。ですから、国吉が組織を依頼されたのは「アメリカ」の『肖像画と宗教画』だったのです。

この事はとても重要です。つまり国吉がフィールドの下でアメリカ植民地時代からのプリミティブな肖像画について教えられ、そのコレクションを手伝い、また『二人の赤ん坊』の

EXHIBITION
PORTRAITS AND
RELIGIOUS WORKS

Selected and Arranged by
Yasuo Kuniyoshi

THE WHITNEY STUDIO CLUB
10 West Eight Street

APRIL 14th to APRIL 27th

国吉が企画した『肖像画と宗教画』展カタログの表紙
(スミソニアン協会アーカイヴス・オブ・アメリカン・アート蔵　国吉康雄スクラップブック，マイクロフィルム　No. D 176 収録)

ような作品にはその影響が見られますが、宗教画についても人並み以上の知識を持っていたという事です。国吉は、どうして宗教画（ここではキリスト教の宗教画の事ですが）の知識を得たり、興味を持ったのでしょう。前にも書いたように国吉はニューヨークに来た直後に日本人のキリスト教会の簡易宿泊所にいた事があり、そこから多くの宗教を主題としたドローイングの存在の情報がホイットニー美術館の回顧展の準備段階で寄せられた事や、学生時代の作品にしばしばキリスト教に関係のあるタイトルがつけられていた事などはわかっています。しかし、どうして、いつ、国吉がキリスト教に興味を持ったのかはわかりません。ミラーの影響でエル・グレコの絵を勉強した事を国吉は何度も述べています。国吉が、キリスト教を生涯の大きなテーマとしたエル・グレコの作品から少なからずキリスト教について学んだという一面は、否定できないと思います。

国吉が所属していたもう一つのクラブ「ペンギン」は、ホイットニー・スタジオ・クラブとはまた性格を異にしたクラブです。このクラブは、マックス・ウェーバー、ウオルト・クーン、ルイ・ボウシェなど、どちらかと言えば、ヨーロッパで学んだり、ヨーロッパからやって来た前衛的な若者達の集まりで、国吉はこちらにも入ります。このクラブは、スケッチクラスなどを開いたりして勉強もするのですが、仮装パーティーで資金集めをしたり、理論的な討論をしたり、あるいはただ酒を飲んで遊ぶという事の方が多かったようです。来る者は拒まず、去る者は追わずといった方針で、かなりルーズな運営だったようですが、このクラブの存在は、近頃再評価されつつあり、新しい資料も研究者の手で集められています。国吉は、ペンギンの方にはそう積極的に参加したわけではなかったようですが、ここで親しくなった友人は沢山ありました。その中でも、このクラブに属していただけでなく、私的にも特別に親しくなり、国吉に大きな影響を与えたのがジュール・パスキンです。

パスキンは、とても捕らえにくい画家だとされています。捕らえにくいとは、流派とかグループとかに組み込んで説明しにくいという事で、言い換えれば独創的で個性的だという事です。実際パスキンの一生は、きわめてユニークだったと言って良いでしょう。

パスキンは一八八五年にブルガリアに生まれたスペイン系のユダヤ人です。そしてオーストリアのウイーンの学校で学び、いったんブカレストに戻った後、画家を志してブタペスト、ウイーン、ミュンヘン、ベルリンなどを巡歴し、一九〇四年、十九歳ですでにミュンヘンの週刊風刺雑誌の専属作家になります。そして一九〇五年にパリに出て、モンパルナスに集まる画家達との交際がはじまります。イラストレーションの他に次第に水彩、油彩を手がけはじめ、ベルリンでの個展や、グループ展でめきめき名声を得た後、一九一三年に有名な「アーモリー・ショー」に出品したのを機会に翌年ニューヨークに渡り、一九一五年にはもうニューヨークで個展を開いています。いささか職人芸的とも言える素描の才能に加えて、水彩、油彩でも独特の世界を創出する彼は、まさに子供の頃からの放浪者、ボヘミアンであり、文字通り自分の腕だけで世界を渡り歩いていたわけです。これだけの経歴を見てもパスキンが並外れた画家である事がわかると思います。

国吉とパスキンとの出会いは、一九一八年に国吉がフィールドと出会った事がきっかけになっています。つまり、パスキンは一九一四年にアメリカに渡って以来、テキサスやフロリダに旅行したり、キューバに渡ったり、ニューオリンズに行ってみたりしながらも、拠点はブルックリンのコロンビア・ハイツのフィールドのアパートに置いていたからです。

パスキンと国吉は、フィールドのアパートで一緒になり、そしてペンギン・クラブにも入り、ほとんど毎日顔を合わせるようになり、きわめて親密になりました。国吉とパスキンの仲の良さは、お互いの才能を高く評価していたからだったと思います。また、パスキンも国吉も定住地を持たない放浪者としての共通項が結び付けたとも言われています。しかし国吉は国吉の絵を、パスキンはパスキンの絵を描き続けました。当時の二人は、画業以外の所で結び付いていたというわけです。

さて、少しばかりの貯えを作った国吉夫妻は、ヨーロッパ旅行をします。それは「ヨーロッパ詣で」だったのかもしれません。一九二五年という時点で、また、アメリカで名前が知られ始めたからといっても、ヨーロッパ、特にパリは美術の中心として大きな磁力を持っていました。一度、ヨーロッパに行こう、パリの空気に触れて来よう、そういった気持は当時のアメリカの若い画家達がみんな持っていたようです。

国吉は、できる限り作品を売りお金を作るとキャサリンと共に船に乗りました。ホイットニー・スタジオ・クラブのフォース女史が、立派な晩餐会を開いてくれました。そして行き先のパリには、一九二〇年にアメリカ国籍を取得したパスキンがその直後にパリに戻り、国吉の到着を待っていてくれました。ユダヤ人の放浪画家パスキンにとって、アメリカ国籍は何にもまして、彼が逃避を続けていた最大の理由であるユダヤ人という烙印を払い落として くれたのです。パスキンはアメリカ人として堂々とパリを中心として活動をしていました。

さて、国吉とパスキンがどれぐらいお互いを尊敬し、また、仲が良かったかを知る資料はそんなに多くありませんが、当時のパリにいた日本人、柳亮氏が国吉の一九三一年の帰朝を称えて書いた「ブラボー・クニヨシ――国吉康雄君へ贈る書簡――」（『アトリエ』昭和六年十二月号）に、興味ある部分があるので紹介しておきます。

「ともかく僕にとっては、恰度、君やパスキンを除いて、今日のアメリカ畫壇を考えられない様に、君等二人は、切り放して考えることの出來ない存在だった。

いったい、僕が、始めて君の名を耳にしたのも、パスキンのアトリエだった。これは、僕にとって、何よりも深い印象だ。

思い出すが、かれこれ、もう五六年にもなるかも知れない。

その頃、ニューヨオクからパリへやって來てゐたパスキンは、モンマルトルのクリッシイの大通りに面した六階建のアパルトマンの頂邊にあるアトリエを借りて棲んでゐた。

パスキンのアトリエと言えば、凡そパスキンに関する限りの、あらゆる傳記が、その比類のないエピクリアンの逸話を以て埋められている通り、そのクリッシイの三十六番地は、アトリエと言うよりは、むしろ連日の様にそこへ集まって来る、彼の一黨の美術家、批評家、美術愛好家、文壇人、新聞記者等のための、實に一大倶樂部と言った方が正しい位だった。

批評家のアンドレ・サルモン、アンドレ・ワルノ、小説家のマルセル・ソヴージ、畫家ではキスリング、パパゾフ、藝術寫眞のマンレヱ等は、いずれも絶えざるそこの訪客であった。

裸体の少女が亂舞しシャンパンの洪水が流れ、飲む歌う踊る、果てはグデグデに酔っ拂ってつかみ合うという騒ぎが演じられるのは、殆ど毎夜のことであった。

從ってパスキンの饗宴（バンケ）と言えば、當時誰れ知らぬものはなく、そのクリッシイの彼の畫室は、パリの美術界、否恐らくは、パリ中での、有名なものの一つに數へられてゐた。

このパスキンの畫室へ、一度でも足を踏み入れたことのあるものなら、そこに、一枚の古ぼけた珍奇なカリカチュアのあったことを記憶してゐる筈だ。

僕は今でもそれを眼で見る様にハッキリ憶へてゐるが、それにはドローイングでグリチッシュ・ヴィレージ時代のパスキンとその一黨の生活が、軽妙が實に、いろいろと面白く描寫されてゐた。

パスキンは、この繪を非常に珍重してゐて、昔噺の出る度に、そこに描かれてある人物や情景を引き合ひに出して、懐舊談に花を咲かせるといった譯で、パスキンの畫室へ出入する美術文壇人の間に、いつとなく、其の繪と、その繪の作者の名は、深く印象づけられる様になった、なんと、それが、誰れあらう君の作品だったのだ。」

柳氏はこのように一九二〇年にアメリカからパリに移ったパスキンの生活ぶりと、パスキンが国吉をどれほど高く評価し、アメリカでの生活において国吉がどれほど親しい友達であったかを書いています。国吉にとっても、パスキンはやはり気心の知れた友人であった事にかわりはなく、ヨーロッパ旅行を思い立った動機の一つにパスキンからの誘いがあった事は疑いありません。

先に述べた国吉の勉強の場の一つであったペンギン・クラブについても、柳氏はパスキンから色々と聞いていたらしく、その事についても書かれています。ペンギンについては資料がまとまっていないので、アメリカでもその存在は知られていても十分に書かれていない中で、柳氏の説明はパスキンを通してのものであっても、かなり具体的に説明されているので少し長くなりますがここに引用しておきます。

「その頃、紐育のグリチッシュ・ヴィレージといへば、つまり巴里のモンパルナスにも比較される美術史上因縁の深い土地だ、その土地の一角から、敢然として、勇敢にも、當時のアカデミズムの時流に向って、反逆の叫びを擧げた一團の青年の群があった。……と書いて來て、ふと僕は、僕の口からこの話を聞いたら、恐らく君は微苦笑を禁じ得まいと氣がついた。だが、この話は、日本では、これまであまり傳へられたことのない逸話だと思ふし、君のビオグラフに重要な關係もある事だから、實際に、僕は、それを間違いなく聞き傳へてゐるか、どうかともかく終りまで君の讀んでくれることを期待する。

この青年畫家達の中心機關に、ペングイン倶樂部といふ、一種の研究會であったから、同志の一人のアトリエを本據に、これへ謀反氣たっぷりの連中が集って、旺んに新興藝術運動の氣炎を上げた。毎月一回展覧會を開いて、これも展覧會とは名ばかりで、そのアトリエを解放して、そこへ勝手に作品を持ち寄って陳べる、勿論、一般の評判などは眼中にない、お互に批評し合ったり、懐具合の良い者が仲間の作品を買ったり賣ったり、出品者自ら、批評家の役と觀衆の役とを同時につとめると言った調子、そこへ集る繪も、ヨーロッパの前衛藝術運動に刺激された未來派とか三角派とか言った、いづれもかなり劇越なものらしかった。

世間では、しかし、なかなか相手にしない、いづれも貧困のどん底で悪戰苦闘を繰り返し乍ら、ペングイン鳥の月例展覧會は、そうして四五年間も續けられた。この執拗な反官學運動に、段々世間も注目を拂う様になって、數年後には、これが遂に、アメリカの所謂フォーブ運動の動因となった。

このペングイン倶樂部の一黨を、當初からリードして猛烈に奮闘したのがパスキンとクニヨシの二人だった。先に言ったクニヨシの手になる素描といふのは、即ち、當時のパスキンと筆者自身もその中へ入れたペングイン倶樂部の行狀記を、その頃君がスケッチしたものに他ならなかった。」

柳氏がパスキンから聞いたペンギンの活動は、今まで知られてきたペンギンの活動とは少し違っているようですが、その事はさておいても、国吉とパスキンの関係は、とても親しいものであったようです。国吉夫妻は、イタリア旅行のほかは、ほとんどパリにとどまってパスキンの助けをかりてスタジオを借り、制作を始めます。もちろんパリにいる間には制作ばかりでなく、柳氏の書いているようなパスキンのスタジオでの乱痴気騒ぎも沢山あり、ボヘミアンとしての国吉の面白躍如といった裏話も沢山あったようです。国吉にとってはとても快適なパリであったようですが、キャサリンにとっては、汚ならしくだらしない、怠惰な生活態度に我慢がならない毎日だったようです。彼女はパスキンを好きになれないだけでなく、夫の国吉が狂気に近いパスキンの生活態度に感化されて行くのが心配の種でした。

しかし、パスキンも国吉もアルコールと馬鹿騒ぎの一方で、とても覚めた部分を持っていて、決して画業を忘れていたわけではありませんでした。パリで二人は、はじめて絵をめぐっての会話をかわし、パスキンが国吉に方向転換を示唆したのです。それは、モデルを使って制作をするという方法でした。国吉は、もちろん学生時代からモデルを使って制作する方法を習っていましたし、その事については新しい事はなかったのですが、実際に国吉が制作したものは、モデルを前にしたものではなく、スケッチしたものの断片を組み合わせて、デザイン化したものをカンバスに描くという方法でした。それは、今まで見て来た作品をよく見れば、ほとんどそうしたプロセスで制作されたものである事がよくわかると思います。

パスキンが国吉に助言したのは、あくまでもモデルを前にして、継ぎ接ぎの幻想や夢をカンバスにはめこむ事なく、ありのままに描いてみてはどうか、という事でした。二人とも、モダニズムの潮流の洗礼を十分に受けた上で、それぞれの方向を歩んでいる画家ですから、初心者が考えるのとは次元の違ったレベルでの話なのですが、簡単に言えば、パスキンは、自分の絵の描き方を国吉に試みさせようとしたわけです。パスキンは、天才的なドローイングの技術の上に、印象派の確立した色の扱い方を更に進めた明暗の表現を油彩に持ち込み、独特の世界をつくりあげることに成功していました。パスキンの絵は、女性像が圧倒的に多く、それもモデルには、少女から女性になる直前といった若い娘を好んで描きました。それは耽美的なパスキンの嗜好であり、そうした女性に限りない美を見出だしていたからに他ありません。しかし、パスキンは単に自分の好みや美学を国吉に押し付けようとしたのではなく、国吉の絵の中に、耽美主義者的な視点、すなわち永遠の美を取り入れる方法として、現実のモデルを前にする事から始めることを勧めたのです。

パスキンの勧めは国吉にある種の啓示を与えました。それはパスキンの美学を全面的に受け入れたという事ではなく、永遠の美という概念にひかれ始めるものが、国吉の中に芽生えていたからです。自分の描いた絵は時空を越えたものを持たなければなりません。それが永遠の美に到達するものであるかどうかはともかく、画家はその事を願って努力しているのには違いありません。国吉は、この事に気付き始めていたのです。

もう一つ、国吉がパスキンの提案を受け入れたのには理由があります。それは、アメリカにいた時の国吉は、モデルを雇うほどのお金が無かったという単純な理由です。もちろん自分の美学にとって必要であったならどんなに工面してでもお金を調達したでしょうが、国吉の興味は他にあり、モデルを雇う事は考えてもみなかったようです。フランスに渡った解放感と、ほんの少しの経済的なゆとりが、この方法を可能にしたのでした。

ともかく、国吉はモデルを雇ってカンバスに向かってみました。チャコールで直接ドローイングを始めます。ところが、これがなかなか思うように行きません。また構図もうまく定まりません。時間はどんどん経って行き、満足の行くような制作は捗らず、国吉はあらためて壁にぶつかります。それでも十か月ほどのヨーロッパ滞在中に、数点の作品を完成しますが、他の多くのカンバスは未完成のままアメリカに持ち帰ります。そしてアメリカで、こうした作品を完成するべくなお苦闘を続けます。

『化粧』《カラー図版16》という作品は、一九二七年になってようやく完成したもので、国吉康雄美術館が所蔵している国吉の美学の転換の努力を示す作品です。風呂上がりの濡れた髪の女性を、少し見下ろすような視点から描いていますが、構図的なアンバランスは相変わらずです。何かを見上げるような虚ろな表情には堅さもあります。陰影のコントラストも強すぎて、露出過度の写真のような印象も受けます。しかしそれでも、官能的で退廃的な雰囲気をかもしだす何かが表現されています。

国吉が、植物、特にしだ類やつる草に異常なほどの興味と関心を持って描いて来た事は既に述べましたが、ここにも背景になるカーテンの模様にそれがあらわれています。また、配置されている籐椅子、花瓶、机などは、いずれも国吉が人物画や静物画で好んで使う形をしたものばかりです。私達は、後年彼が好んで描いたものが、全てこの絵の中に含まれている事を知る事ができます。

このように、後年の国吉の円熟した女性像を知っている私達には、ヨーロッパでモデルを使って描き始めた人物像が全ての女性像の出発点になっている事がわかります。また、この作品が過渡期のものであることは先にあげたようなデビュー当時の国吉の好みが多く残存している事などからも証明できます。色も極端におさえていますが、後年の作品に比べるとハーフトーンはまだ十分に完成していませんし、国吉ブラウンも国吉ホワイトもまだ未完成のままです。にも拘らず、この絵には一九四〇年代まで国吉が描き続けた女性像のあらゆる要素がぎっしりと詰まっています。発表された当時の人々とは違って私達は国吉の画業をその終わりから逆に見ることができるので、その事がより一層明らかになります。国吉の絵を見る時、この『化粧』から、どの部分ないし要素が削られ、どの部分が強調されて行くようになるのか、という見方は楽しく、また国吉を知る良い手立てだと思います。

さて、一九二六年になってアメリカに戻ってきた国吉は、パリで始めた制作方法の試行錯誤を繰り返します。制作する作品の数も少なく、完成するものは更に少なく、モデルからの制作は頭打ちの状態が続きます。その一方、国吉の名前はホイットニー・スタジオ・クラブの全米巡回展などによって次第に知られるようになり、ダニエル画廊は在庫作品が売れて行くにつれて、新作をせがむようになりますが、満足のいくものが完成しません。そして遂に国吉は、カンバスでの制作を中止して、亜鉛板リトグラフの制作に集中します。

現在こうしたリトグラフは二十点確認されています。その内容は十一点の静物、七点の女性像、二点の風景です。いずれも対象を見詰めて、綿密に、細部にわたるまできわめて克明に描いており、その技術は賞賛に値します。静物においてその特徴は顕著で、設定した光源によって生じる陰影にも十分な配慮が見られるばかりでなく、微妙なハーフトーンをモノク

図19　南瓜　1927年　亜鉛版リトグラフ　両備文化振興財団

図18　梨、葡萄、桃　1927年　亜鉛版リトグラフ　国吉康雄美術館

ロームの世界で見事に表現している秀作ばかりです。

二点の風景も、実際のスケッチをもとに制作したらしく、静物と同様に素晴らしい出来栄えです。それに比べると女性像は、まだ十分に対象をこなし切っていない所が見られますが、それは、私達が国吉の全作品を見通せる立場に立っているからそう言えるのであって、個々の作品は立派なものだと言って良いでしょう。

どうやら国吉は、一九二七年のリトグラフ制作でようやく求めているものを表現するきっかけを摑んだように思われます。それはまず静物で行われ、風景を経て人物へと移って行ったのだろうという推測が、リトグラフを見る事によって可能です。しかし、それをカンバスの上で表現しようとするとまだまだ問題があったようです。

図21　牛のいる風景　1927年　亜鉛版リトグラフ　両備文化振興財団

図20　三人の踊り子　1927年　亜鉛版リトグラフ　両備文化振興財団

ともかく、国吉は一九二七年に集中的にリトグラフを制作すると、あらためてフランスに渡ろうと決心します。対象物を前にして描く事をはじめたパリで、再び同じ課題に取り組もうと考えたようです。それだけではなく、今度は最初から永住を考えていたようです。いや、もっと正確には、パリとニューヨークの両方に拠点を持って制作しようと考えたと言った方が良いでしょう。勿論、こんな考え方はパスキンに感化されて出てきたものに違いありません。と言うのは、パスキンは一九二七年八月にニューヨークに滞在して、グループ展などに出品した後、イタリアへ旅行し、年末までに再びアメリカにやって来ています。相変わらずの放浪生活で、絶えず動き回っています。この時、記録はどこにも無いのですが、国吉とパスキンが色々と話し合ったことは十分に考えられます。そして国吉夫妻は、かなりの作品や道具類までも処分して、パリへ向かいました。

しかしこのパリ行きは、最初から何か歯車が嚙み合っていないような所がありました。一九二五年とはパリの事情も変わっていて、アトリエ付きのアパートを探すのは不可能な状態でした。それだけ画家や彫刻家がパリに押し寄せていたわけです。油彩を描こうとしていた国吉にとってこれは誤算でした。二度目のパリは、国吉に違った顔も見せました。一九二五年の時は、国吉は旅行者であり、あくまでもアメリカから来た客人の画家であったわけですが、今度は定住者、ライバルとしてやって来た国吉に対して、前回ほどの歓迎ぶりは見せてくれませんでした。そして言葉の壁が大きく立ちはだかりました。国吉はフランス語は全くできませんでした。パリはコスモポリタンの都市だとは言っても、フランス人のプライドは

図23　身支度する女　1928年　石版リトグラフ　両備文化振興財団

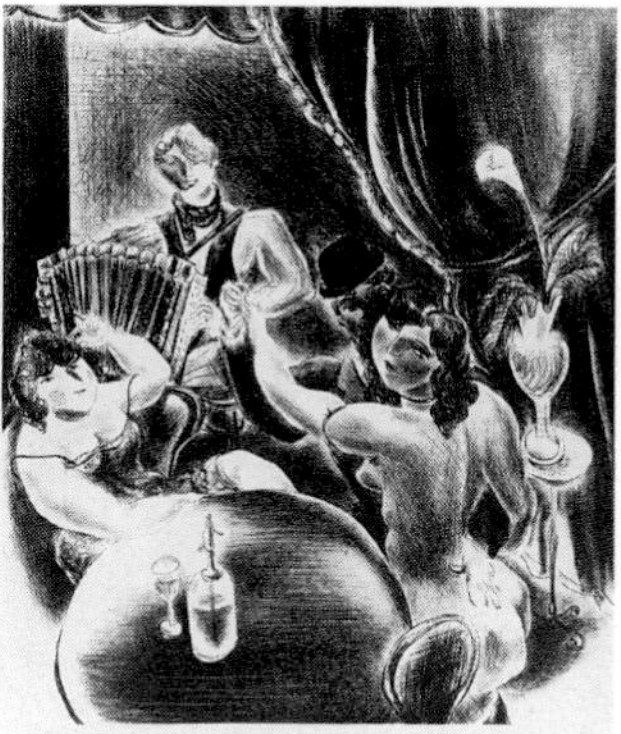

図24　踊り　1928年　石版リトグラフ　両備文化振興財団

図25　闘牛　1928年　石版リトグラフ
国吉康雄美術館

図26　風景、パリ　1928年　石版リトグラフ　両備文化振興財団

フランス語以外の言葉は、言葉として認めようとしない傾向があり、フランス語がわからなければ日常生活にも大きな支障になります。そして、キャサリンはパリの画家達のボヘミアン的生活に常に批判的であり、嫌悪感さえ抱いていました。一緒にパリまで来たものの、彼女は決して喜んではいませんでした。

こうした様々なハンディキャップの中で、国吉は制作を始めます。自分の考えている事を、少しでも早くカンバスに表現したかったのです。その頃の風景画が岡山県立美術館に一点あります。『ロバのいる風景』カラー図版22という作品です。この作品は構図的にはその前年にリトグラフで制作した『牛のいる風景』ときわめてよく似ています。一九二八年の作品ですが、パリに渡る前に完成した作品かもしれません。いずれにしてもこの作品は、ようやく国吉が掴みはじめた写実性と、その向こうにあるものを表現しようという意図がカンバスに移されたものとして重要です。

パリの国吉は、ほとんど油彩を断念して、リトグラフ制作をするようになります。前年とは違って今度は石版リトグラフです。パリで制作したリトグラフは二十四点が知られています。今度は人物十二点、静物七点、風景三点、それにスペインに行った時のスケッチをもとにした闘牛をテーマにした二点です。このように主題が人物像中心になり、石版という事もあって線も陰影もきわめて繊細になっているのがわかります。国吉の並外れた集中力と技術が可能にした素晴らしいリトグラフです。

アトリエが空くのを待っていた国吉でしたが、キャサリンはあまりにも自堕落で不潔なパリの画家達との生活に疲れて、国吉をおいて十月三日にパリを発ってアメリカに戻ってしまいます。一九二八年十月十九日付けの国吉から親友のレジナルド・マーシュに宛てた手紙が残っていますが（国吉康雄美術館報第三号、一九九三年二月二六日発行所収）、ここには、キャサリンに去られて寂しい中でも、十一月一日には借りられるようになったアトリエで少なくとも冬の間は制作したいという気持が綴られています。

意気込んで渡ったパリですが、国吉は思った事の十分の一も出来ないまま、キャサリンを失った寂しさに打ち勝つことができなくなり、十月二十六日、突然アメリカに向かってパリを後にします。キャサリンが去って僅か三週間しかもたなかった国吉のパリの独身生活。きっと国吉は本質的にはパスキンとは違って、放浪の旅に明け暮れる生活は合っていなかったのでしょう。また妻キャサリンが彼の中で占めていたものがとても大きかったのでしょう。一言で言えば、国吉は大きな子供だったのです。前述の手紙をマーシュに出して僅か一週間で、国吉は本当に嬉しそうに、同じくマーシュにアメリカに戻る事を告げた手紙を送っています。

こうして、フランス移住計画はいとも簡単に終わりを告げてしまいます。しかし国吉のパリ生活は、油彩の制作はほとんど無かったものの、リトグラフという素晴らしい成果を残してくれました。そして、国吉はこのパリ滞在で、新しい自分の方向をしっかりと摑んで自信を持ったようです。国吉はボヘミアンとしての自分に別れを告げてアメリカに戻りました。

一方パスキンは、相変わらずアメリカ、フランス、スペイン、ポルトガルと気の向くままに旅をして、酒と女性の間を渡り歩き、一九三〇年六月二日、パリのアトリエで自殺を遂げてしまいます。それは、享楽と放蕩でうわべを装いながら流浪の旅を続けたユダヤ人の天才画家の心にひそんでいた寂しさへの決着のつけ方だったのかもしれません。

第六章　離婚・独立

一九二八年末に、アメリカに戻った国吉はキャサリンとあらためて生活設計を立て直し、活動の拠点をニューヨーク市とその近郊のウッドストックに定めて、特にウッドストックには、夏の間住むことのできる家を建てる事にしました。パリへの移住の失敗が、アメリカ定住を決心させたとともに、いたずらに美術の中心に居を定めようとする事が、自分の制作にプラスにはならない事を悟ったからだったのでしょう。それとともに、たとえどこに住んでいても、発表の場さえあれば、自分の心構え次第で制作が可能であるという自信を持ったからでもありました。

パリで制作したリトグラフは、ダニエル画廊での個展でも好評で、ぼつぼつと完成した油彩画も好調に買われて行きました。一九二八年から一九二九年にかけてのアメリカは、経済的に言えばバブル景気が最高潮に達していた時であり、一九二九年十月二十四日のあの大恐慌を前にして好景気で沸き返っていたのです。その景気の波にのって、国吉の絵は、そしてリトグラフは、たちまちフランス渡航に費やした費用を取り戻し、ささやかなサマーホームを建てるほどに経済的な潤いを与えてくれました。

そして十月二十四日がやって来ます。世界中の金融・経済界に大きな影響の爪痕を残したこの歴史的な日の事は、さまざまな証言や本で語られていますが、国吉個人にとっては、生活上に多少の不便が生じたとはいえ、ほとんど影響は無かったようです。また、一見アメリカのバブル経済の象徴のような形で設立されたと見られていたニューヨークの近代美術館も、華々しく開館し、大恐慌など何処吹く風といったように順調に運営をはじめていました。

街にスープをもらう失業者の長い行列が見られるようになった一九二九年の十一月に、開館一周年を記念して近代美術館は、『現存アメリカ十九人展』を開催しました。ロックフェラーやブリスといった大金持一家の夫人達の手によって設立された近代美術館は、文字通り、印象派以降のモダンな美術をヨーロッパを中心に収集・展示する事を目的としていましたが、ようやく盛んになりつつあるアメリカ美術に対しても少しずつスペースを割くようになり、ほどなくアメリカ現代美術を中心にした企画展を開くようになったのです。

この展覧会の出品者の選出は、美術館関係者、美術評論家などによって行われ、議論の末に十九名が選出され、それぞれ各五点ほどの作品が展示される事になりました。そして国吉は、一番若く、しかも外国籍でありながら選出されました。当然、国吉の選出については賛否両論がありましたが、法的な国籍問題よりも、国吉がアメリカで美術教育を受け、アメリカで成長したメード・イン・アメリカの画家であり、その芸術性が抜きん出ているという意見の方がはるかに強かったのです。言うまでもなく、この名誉は国吉を喜ばせました。アメリカ定住を決意した直後の事ですから尚更の嬉しさでした。そしてこの喜びは、彼の制作意欲をいやが上にももりたてました。

一九三〇年に制作した『花瓶の花《カラー図版27》』と『椅子の上《カラー図版28》のロールパン』という静物画が国吉康雄

美術館にあります。この二つの作品には、静物画における国吉の技術的な進歩と、画面構成や色への自信を読み取る事ができます。以前から試みていたハーフトーンの研究は、ブラウンの微妙な色調に進歩が見られ、さらに完成度を高めて行く過程が良くわかります。背景は簡潔であり、アクセントになる花やスカーフの色も不必要なものは一切取り除いた上で、紛うことのない国吉の世界をつくり上げています。静物画は、実物を前にして描くのが容易であっただけでなく、国吉にとっては心行くまで対象物を眺めながら制作できるという利点がありました。自分の表現方法の確立をまず静物画で行ったのは、亜鉛版リトグラフで試みた方法を、油彩で繰り返している国吉の試みの軌跡をよく示していると思います。また、きわめて実際的な側面を言えば、コレクター達が買うのに最も手を出しやすいのが、自宅の壁に掛けられる静物画であるという一面も忘れてはなりません。国吉の描くテーブルや床の色であるマホガニー・ブラウンが、国吉独特のものとして有名になるのは、この二作を見ればうなずけると思います。

一九三〇年には、このような「売れ筋」でもあり、国吉自身も自信を持った静物画を中心に三月にダニエル画廊で個展を開きます。そして、『十九人展』に選ばれたという名誉も手伝って、きわめて順調に売り上げを伸ばしました。これは当時の世相とは全く異質の美術の世界の出来事であり、一歩外に出れば、大恐慌のために失業した人々が街に溢れ、その日の糧を求めてさまよう地獄絵が、マンハッタンに展開していた時の事なのです。

しかし、美術界も国吉も大恐慌に全く無縁であったわけではありません。国吉の個展を終えて間もなく、ダニエル画廊は建物の持主と家賃の支払いを理由に争いとなった末に閉鎖されますし、せっかく育ち始めたアメリカ美術のコレクター達も、多くが経済事情の悪化のために収集を断念するようになります。しかし国吉自身は、経済的にはあまり損害を被りませんでした。彼自身はまだ株を買うほど豊かではなかったし、また国吉の人気は経済に左右されるほど弱くはなかったからです。

アメリカの経済的な混乱が続く一九三一年、国吉は父親の病気の悪化の知らせを受け、また同じ時に東京日々新聞の招聘を受ける形で日本での個展の話が持ち込まれたのを機会に日本を訪れる決心をします。それまで国吉の心の中には、日本に帰るという気持ちは、たとえ短期的な旅行であっても、ほとんど浮かんだ事は無かったようです。画業について言えば、パリ進出に失敗してニューヨークを拠点に定めていましたし、自分の絵が日本で売れたり、評価される事など考えてもいませんでした。フランスで接した日本人の画家や評論家から、ある程度の日本の画壇事情は知らされてはいましたが、自分とは全く関係の無い国の事としか受け止めていませんでした。

しかし、父親の一目会いたいという希望を前にして、国吉は日本を訪れる気持ちになったようです。これは急な事でもあり、また家を新築したばかりのことでお金も無く、友人から借金をして準備をします。東京日々新聞社との間でどのような契約があったのかは、資料が無いのでわかりません。どれほどまでお金が出たのかは不明ですが、国吉自身もかなりお金を使ったようです。アメリカの東海岸のニューヨークから陸路西海岸まで二十九点の油彩、

岡山美術研究会のメンバーと，後楽園（岡山）にて（1932年１月）

約六十点のリトグラフを運び、さらに船便で日本まで運ぶのですから大変な費用です。その上、国吉は自分の作品の写真の乾板も運んでいます。そして、日本で開かれた個展は東京で十一月十九日から二十三日までの五日間、大阪でも五日間ほどであったようです。郷里の岡山では、わずかにリトグラフを二日間展示したに過ぎません。

この日本訪問についての詳細は、一九九三年五月に岡山市で開催された第一回国吉アートフォーラムのために作成された冊子『国吉康雄の帰国』（第一回国吉アートフォーラム実行委員会発行）に、日本での国吉の評価や、国吉自身の感想も含めて資料収集がされています。詳しい事は、この冊子に譲るとして大変な労力と時間とお金を使って日本で個展をした成果は、画家国吉としては失敗だったと言えるでしょう。何故なら、記録されている限り作品はたった二点しか売れなかったからです。そして、あらためて国吉は現代美術のマーケットとして、日本は可能性がなく、また自分が制作する場所でもないことを実感します。

それと同時に、国吉は日本の国全体に不吉で危険なものを強く感じました。それは、日本が間違いなく全体主義への道を歩んでいるという実感でした。日本が天皇中心の国として成り立っていることは、国吉が過ごした少年時代に認識していましたし、また国吉の訪日前にアメリカを訪れていた藤田嗣治からも聞かされていました。藤田から紹介状も貰い、そして日本に着いたらまずマスコミを引き連れて皇居に参拝するようにと勧められてもいました。国吉は勿論そうした事はしませんでしたが、日本で警官が威張っているのには驚いたようです。道を尋ねるのに帽子をとらなかったという理由でこっぴどく怒鳴り散らされて、彼の日本に対する不信感は決定的になりました。

こうした事は、日本から帰国後国吉自身が多くの人に語っていますし雑誌にも寄稿しています。ニューヨークの自由の中でのびのびと制作をして来た国吉にとって、日本画壇の閉鎖性や階級性、そして能力に無関係な価格体系などは大きな驚きでした。短期間の内に国吉は、日本のモダニスト達がギルドの職人と同じような立場で生活を営んでいることを正確に観察しています。そうした日本の洋画の特殊な在り方は、もう一つの伝統的な日本画の画壇のギルド性に影響されたものである事も国吉は知っていました。そして、画家が個性よりも属しているグループや組織によって評価され、また師弟関係や上下関係によって支配されている事も理解していたのです。

全体主義国家としての日本、組織に属さなければやっていけない画家という職業、そういう日本の事情は、国吉にとって予想以上のものでした。アメリカに帰った直後に、国吉はこうした日本の実情について友人達に熱っぽく語ったそうです。そうしながら、友人達と、しかし日本から学んでも良い事があるのにも気付きます。それは、美術家が団体を組織するという事でした。

二十世紀になって歩みを始めたアメリカのモダニズムの潮流は、アカデミズム対モダニズムという対立構図の中で動いてきたと言えるでしょう。そういう意味ではアカデミズムに属する人も、モダニストと自認する画家達も、ともにそれぞれの範囲を自覚し、同じグループに属しているというゆるやかな同族意識を持っていました。しかしだからと言って、画家達は同族意識に基づいたグループを結成しようという動きはとりませんでした。

しかし、一九三〇年代に入ると、アメリカン・モダニズムにも様々な潮流があらわれるようになり、芸術上の哲学的な問題、すなわち美学においても様々な考え方の違いがあらわれてきます。それとともに、同じような考え方を持つ画家達が少しずつ集まってグループを形成するようになってきます。国吉の日本訪問の時期と、こうしたモダニスト達のグループ化の傾向が重なりあい、国吉を会長とする「アン・アメリカン・グループ」が組織されます。

何故「アン・アメリカン・グループ」という命名をしたのかについては、本当のところはわかりませんが、多分、自分達こそがアメリカ美術の担い手なのだという自負心の表れだったのでしょう。いささか保守的、右翼的にも聞こえるこのグループのメンバーが、実はユダヤ系アメリカ人を中心としたかなりリベラルな思想の持ち主達であった事は興味ある事です。これが国吉の美術家団体の活動の始まりであり、彼は晩年にいたるまで美術家の地位の向上と生活の安定のために様々な組織で活動をしますが、この「アン・アメリカン・グループ」がすべての出発点になっています。正確に言えば、国吉はフィールドの下で、インディペンデント展のために秘書の仕事などもして、こうした組織活動の経験はありましたが、指導的立場に立つのはこれがはじめてでした。

国吉の制作活動は、一九三〇年代に入ってかなり順調になりました。一九二五年のヨーロッパ旅行以来、国吉は制作方法及びその支えとなる美学の転換をはかりましたが、それは一九二八年のヨーロッパでのリトグラフ制作、そして帰国後の静物画での試みを経て、ついに女性像にまで到達しました。国吉の新しい方向への歩みは、それまで発表の場としていたダニエル画廊の閉鎖にともなって少しの間なされませんでしたが、一九三三年になってダウンタウン画廊との契約が成立し、大々的な個展が行われました。

ダウンタウン画廊はダニエル画廊とは違って、きわめて機能的なシステムと有能なスタッ

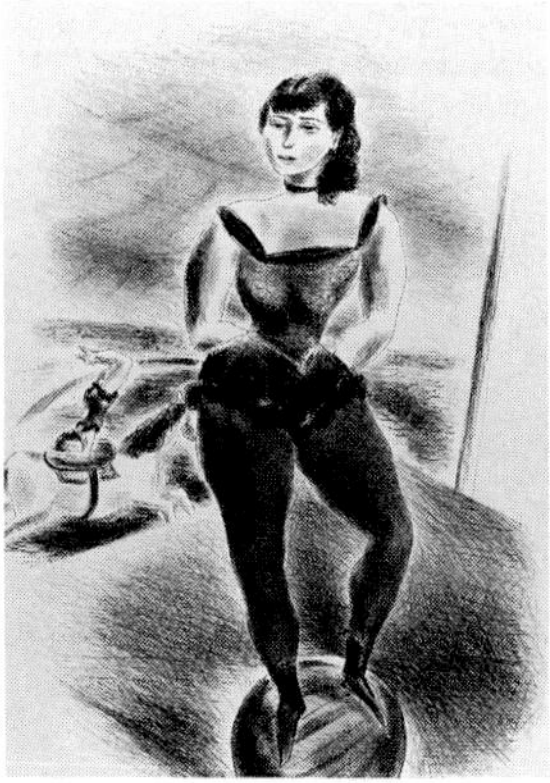
図29　サーカスの玉乗り　1930年
石版リトグラフ　国吉康雄美術館

図31　嵐　1931年　石版リトグラフ
国吉康雄美術館

フを持って、典型的な画廊経営、それもあるべき姿を実現したような素晴らしい画廊でした。この画廊は一九七〇年代に閉鎖して、その経営や、取り扱った画家の作品記録や、作品写真など一切が、スミソニアン協会の傘下にあるアーカイヴス・オブ・アメリカン・アートに寄贈され、マイクロフィルムに収録されて一般公開されています。

国吉について言えば、ダウンタウン画廊が契約して以来、ここを通して売買された作品については、画廊が預かっていた期間の展覧会への貸し出し、新聞、雑誌等での批評、複製掲載された記録はもとより、誰に売却したかの記録、さらに国吉の死後も、売却された先からの展覧会への出品記録までが残されています。画廊の持ち主であったエディス・ハルパート夫人のたゆみない努力と画家達との信頼関係が、これほどの行き届いた配慮と気配りで長く続いた例はそれほど無いと言って良いでしょう。ダウンタウン画廊の約五十年の歴史は、そのままアメリカ現代美術の歴史であり、その記録は、今後アメリカ美術を研究しようという人にかけがえのない貴重な資料を提供してくれています。

国吉康雄美術館が所蔵展示している一九三一年の『休んでいるサーカスの女』[カラー図版30]という作品は、ダウンタウン画廊と契約した第一回個展のカタログの表紙を飾った国吉の自信作でした。国吉の好みの長椅子に横たわって、たばこを手にしている女性は、出演を終えて休んでいるサーカスの女性のようです。しかしタイトルからそう思うだけで、彼女が本当にそうなのかどうかは、周りに置かれている小道具などからは判断できません。もちろん身に付けている衣裳は非日常的ですし、小道具は必要なかったのかもしれません。

この絵に描かれている女性の表情や肌の色、そしてブラウンのハーフトーンを中心にした背景の色は、これ以後国吉の名を高めた国吉独特の世界のプロトタイプとして大変に重要で、国吉はこの作品によってようやく女性像に自信を持ったのでしょう。わざわざカタログの表紙にまで用いたのは、そうした自信の表れであり、事実この作品を出発点として国吉は女性像において独自の世界をつくり上げて行ったのです。

日本から持ち帰った張り子の虎を中心に据えた静物画『日本のカラー図版32張り子の虎とがらくた』という一九三二年の作品は、わずか数年前とは格段の技術的進歩を示す筆遣いや構成力を示しています。少し前に紹介した『椅子の上のロールパン』などと比較してみると、色や筆遣いといった技術面での成長と、いささか前方に傾いた独特の構図やバランスが、特異な形をした張り子の虎を中心にして微妙に保たれているのがよくわかります。

国吉の絵に日本の張り子の虎が描かれているのを見て、日本人の血とか郷愁とかに結び付けて国吉を見ようとする人があります。絵は公開された時から、見る人の見方によってどのように解釈されようと、画家や作品がその解釈の当否を言い当てることはできません。美術作品は、作品として提示されたその時から、その作品を鑑賞する人によってどのようにでも解釈されうる性質を持っているのです。したがって、張り子の虎が描かれているのを見て、国吉が日本に郷愁を感じていたのだという説明や理解をする人があっても、画家も作品もそのことを否定する事はできません。少なくとも画家はそういう発言をしません。なぜなら画家こそが、その作品が完成した時から、作品が一人歩きをして鑑賞者との対話、すなわち芸術的緊張関係、を持ち始めることを一番良く知っているからです。

理屈っぽくなりますが、国吉は、この美術作品と画家との宿命的関係にもっとも忠実な画家であったと言っても良いと思います。後年、国吉が象徴主義風な作品や、それまでの画風をすっかり変えてしまった時に、しばしば描かれているものについての意味を、講演の時や、作品を購入した美術館やコレクター、そして新聞や雑誌の記者達に、しつこく尋ねられていますが、彼は終始一貫して、作品についての解釈や解説をする事はありませんでした。勝手に作品との対話をしてくれ、という態度です。この事は多くの人を困らせもしましたが、また多くの人に自由も与えました。すなわち、国吉の絵を見る人は、その絵をどのように理解しようと、それは全て正解であり、作品と対話する人の感性と作品の緊張関係は、国吉自身とは何の関係もない、という事だからでした。

さて、郷愁という解釈ですが、これは作品を見る人がその様に見るならば、それで正しいという事になります。たぶん多くの日本人は、この絵の中の張り子の虎を見て、国吉が日本を「なつかしがっている」という風に感じるかもしれないし、その印象はとても正直であると思います。しかし多くのアメリカ人から見れば、この絵のタイトルに『日本の張り子の虎とがらくた』と書かれていなければこの虎の玩具が、一体どこの国のものなのか区別はつきません。そして、それがたとえ日本の玩具だとわかっても、九州の郷土玩具なのか、岡山のものなのか、東北のものかなど、誰も知らないと言って良いでしょう。そうだとすれば、アメリカ人の美術鑑賞者が、この絵を見て「日本に対するなつかしさ」や「郷愁」を感じる確率は極めて低いと言えるでしょう。実際この作品のタイトルは、日本では『張り子の虎』と訳されていますが、原題では単なる『玩具の虎』であり、タイトルから『日本』という言葉が抜け落ちて表示されている事もあります。

このように、美術作品は鑑賞者との対話によって様々な解釈を生み出します。それらは全て正しく、また正しいものとしなければなりません。しかし、時間的経過とともに、歴史の中に置かれるようになると、その作品が制作された環境や、その作家の生涯や考え方や行動が、同時代には見えなかったそうした諸条件が、時間というフィルターを通して次第に明らかになって行き、直観的な印象から、客観的な諸条件を加えた作品解釈へと情況が変化して行きます。アメリカに住み、アメリカ人としての思考と行動を身に付けていた国吉にとって、日本が生まれ育った場所であり、アイデンティティーとしての日本人を意識していた事は事実であり、全てのアメリカ人が、特に一世、二世が、出身国のアイデンティティーを持ち、誇りに思っているのと軌を一にしていて、何の違和感も無いものです。

しかし、郷愁ということになると、自己のアイデンティティー確認とはいささか次元の違う話になってきます。アメリカには、日本語を少しもわからず、日本に行ったこともなければ、学んだり行ったりしたいとも思わない、二世、三世、四世の日系アメリカ人が沢山住んでいます。そしてこの人達は、自分達のことを日系アメリカ人として誇りに思い、日系人としてのアイデンティティーを持って生きています。アイデンティティーとはそういうものであり、きわめて抽象的な観念なのです。国吉は確かにはっきりとした日本人のアイデンティティーは持っていましたが、その上でアメリカ人として生きる事に一生懸命でもありました。一九三一年から一九三二年にかけての日本訪問で国吉は自分のアイデンティティーの再確認はしましたが、同時に自分がアメリカ人である事をひしひしと感じたのです。この事を証明する資料は沢山ありますが、逆に国吉が日本に郷愁を持っていたという資料や証言は全く存在しないのです。

『日本の張り子の虎とがらくた』という作品は、静物画として素晴らしい完成度を持った、そして見る人に様々な解釈の可能性を与えてくれる作品です。がらくたの雑多な組み合わせだけでも、多くの事をこの作品に語りかけたくなります。そして張り子の虎は、見る人の国籍や社会経験や知性や教養によって、そして何よりも見る人の感性によって、様々な対話を可能にしてくれます。この作品の前に立った時には、少し時間をかけて、作品に語りかけてみて下さい。きっと充実した時間が過ごせる事と思います。

この絵を描いた一九三二年、国吉は個人的に大変に大きな転機をむかえます。リーグ時代から生活をともにしてきた妻のキャサリンとの結婚が破局をむかえるのです。この離婚は、キャサリンが申し出て国吉がしぶしぶ同意したようです。思慮深いキャサリンは、生涯その離婚の理由については口にしませんでしたが、ただグッドリッチの質問に答えて、ルース・ベネディクトの名著『菊と刀』を読んで日本人の男性の生き方や考え方を知ってほしい、国吉はそこに描かれている社会学的な男性像の何倍も日本人的な男性であった、と述懐しています。

図33　出演前　1932年　石版リトグラフ
両備文化振興財団

多くを語りたがらなかったキャサリンにかわって、国吉の男友達は、この点についてはかなりはっきりと語ってくれます。それは、国吉をここまでアメリカ人画家として育ててくれたキャサリンのジューイッシュ・マザー的な態度に対しての、成長した国吉の反抗であり、必ずしも日本人男性に一般的な女性蔑視や、男性中心社会の論理を当然のものとした差別的な考え方に起因するものではなかったという事です。国吉は十分に西欧的な社会人であり、人に対して決して東洋的論理を振り回したりはしなかったというわけです。本当のところはわからないとはいえ、私がインタビューから得た印象から言えば、男友達の方が本質を見抜いていたように思われます。

キャサリンは気品のある、教養も知性も申し分のない人でしたが、その行動や発言を辿れば、ユダヤ人独特の、積極的で口数が多く、自分の主張を曲げない頑固な性格がはっきりわかります。彼女のその強さと優しさに恋して過ごした十年間、国吉はキャサリンから数知れず多くの事を学び、社会的進出の糸口もつけてもらいました。ボヘミアン的生活から、プライドと目的をしっかり持ったアーティストとしての自覚と行動への変貌は、キャサリンによって植え付けられた習慣でもありました。この十年間で国吉は孤独なエトランゼから、アメリカに根を下ろしたアーティストにまで成長し、そのほとんどの事はキャサリンのお膳立てによって可能となりました。しかし、一人のアーティストとして認められるようになった時、キャサリンの存在はいささかうとましくもなったのです。『青年時代の国吉康雄』の中で宮武　繁氏は、キャサリンと国吉について次のように書いておられます。二人をよく知っていた宮武氏のキャサリンの評価の高さは、多くのアメリカ人の友人達のものと一致しています。

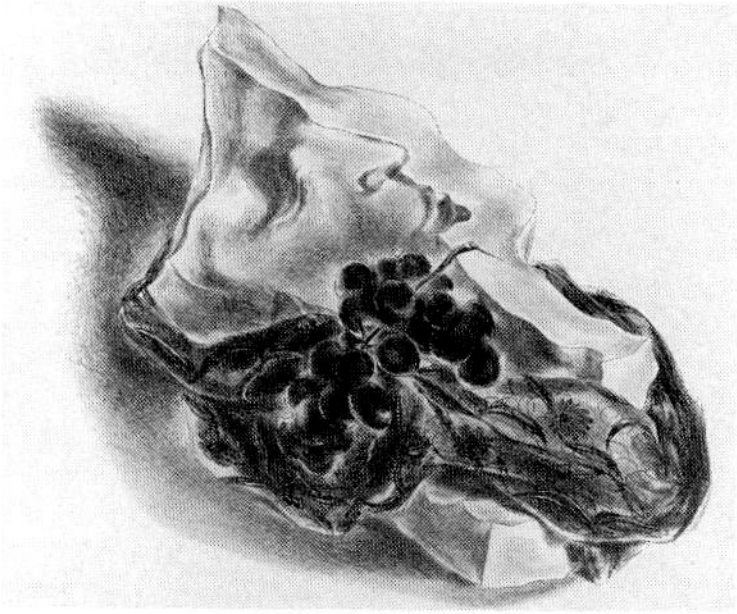
図34　彫刻の流し型の上にある葡萄　1933年
石版リトグラフ　両備文化振興財団

「国吉の一生を通じて特筆すべきことは、一九一九年の夏、ミス・キャスリン・シュミットと結婚したことだった。（一九三二年に離婚）キャスリンは風景画家だった。彼女は国吉を真に愛していた。作家であると同時によき主婦として国吉を援けたが、病弱だったのが国吉を悲しませた。家庭の持ち方は上手だった。渡米以来十幾年、労働者か画学生か判然としないような虐げられた苦しい生活をしていたのが、キャスリンとの結婚を契機に一変して昨日までの半労働者的作家生活から脱して画道一筋に精進出来るようになった事は、国吉のため祝福すべきことだった。のみならず一九二六―二七年頃から漸く国吉が米国画壇に抬頭するようになった動機を作った第五街の画商ダニエル氏への接近もキャスリンの骨折りだったと思う。

　蓼喰う虫も好きずきとよく云うが、あんなぶすーっとしたむっつり屋の国吉を、独逸系統の引き締まった美貌に、どこか一面、東洋的な匂いを持った小柄な美しいインテレクチュアルなキャスリンが国吉をよく理解し、愛して、彼の大成をなすのに内助の功多々あったことを友人の一人として彼女に深く感謝する。」

キャサリンにとって国吉の一番許しがたい事は、彼が次々に女性と関係を持って行くことでした。これは青春時代がきわめて短く、そして最初の恋人であったキャサリンと結婚して以来、女性に触れる事もなかった国吉が、生活の安定とともに興味を持ちだした事でもありました。四十歳を過ぎた妻帯者のそうした行為が、社会的にも家庭的にも許されるものでは

図35　羽根帽子をかぶったサーカスの女　1933年　石版リトグラフ　両備文化振興財団

図36　バーレスクの女王　1933年　石版リトグラフ　両備文化振興財団

ありません。しかし国吉は、次から次へと実際女性にのめり込んで行ったようです。何れも白人女性で、キャサリンとは、性格も知性も教養も逆の人ばかりでした。バーレスクの踊り子や職にあぶれたダンサー達をモデルとして雇い、何時の間にか関係ができて行くというのがいつものパターンでした。

形而上的な理論を振り回さず、政治の在り方にも口を挾まず、自分の肉体だけを頼りに無計画に生きて行く女性達、そうした人達とのひとときに国吉は安らぎと充足感を持つようになったのです。このような国吉の行動は、それまでのキャサリンとの結婚を破滅に追い込んで行くことになります。キャサリンは、国吉に自分との形式的な結婚に拘らずに離婚する事を勧め、国吉はおずおずと、しかし仕方なく離婚に踏み切ったようです。

行為としては妻を裏切りながらも、国吉は自分を一人前にしてくれたキャサリンを愛して

図37　カフェ　1934年　石版リトグラフ　国吉康雄美術館

図38　造花　1934年　石版リトグラフ　両備文化振興財団

いる事には何の変化もありませんでした。また、離婚後もお互いを大切に思う気持ちに変わりはなかったようです。後にキャサリンが弁護士のシューベルトと再婚した時には国吉は祝福しましたし、国吉とシューベルト夫妻との交友は生涯つづき、国籍変更などの法的な問題で国吉の力になっていたのはシューベルトでした。国吉の自我の目覚めにともなうキャサリンとの離婚は、きわめてユニークでアーティストらしく、少なくとも悲劇的なものではありませんでした。

この事はとても大切で、国吉の自我の形成の大きな転機になる事件なので、あえてここに書きました。この時点から、国吉は画家として独立独歩の生活を始めます。キャサリンのアドバイスや広報活動の助けもなく、本当に一人の芸術家として生きるのです。育ててくれたジューイッシュ・マザーのキャサリンの役割はここで終わりました。国吉は、シナゴーグ（ユダヤ教会堂）に行って祈りを捧げるユダヤ人にはならなかったし、ユダヤの食事にもそれほど興味を示さなかったようですが、ユダヤ人的な心とエネルギーを内にひめて独り立ちしたのです。ジューイッシュ・マザーの役割を終えたキャサリンは、彼女を理解し十分に包み込む事ができるシューベルトと再婚し、国吉はさらに女性遍歴を経た後、サラ・マゾというメキシコ生まれの女性と結婚する事になります。

このような国吉の結婚は、起こるべくして起こり、また落ち着くところに落ち着いたのだという解釈も可能でしょう。キャサリンは裕福な弁護士夫人となった後も、画業に専心するだけでなく、信念を貫き社会活動に大きな足跡を残しました。一方の国吉は、キャサリンへの反抗から求め始めた理想の女性を追及することに打ち込んで、後世に残る多くの女性像を描き続けました。この結婚が国吉にもたらしたものについては、次の章で詳しく語ってみたいと思います。

第七章　女性像の秘密

今から二千年までの間に国吉康雄美術館を訪れる人は、三点の国吉の女性像を並べて鑑賞する機会に恵まれます。これはアメリカでも日本でも今後決して起こらないと思われる鑑賞のチャンスです。その三点の作品とは『もの思う女』《カラー図版39》（一九三五）、『デイリー・ニュース』《カラー図版40》（一九三五）、『バンダナをつけた女』《カラー図版43》（一九三六）です。なぜこれらの作品が並んでいる事が素晴らしい事かと言いますと、国吉が生涯にわたって制作した女性像の中で、この三点がもっとも完成度が高く国吉の真髄に触れる事ができる作品だからです。

『もの思う女』は、完成した直後から注目を集めた作品です。ファッション雑誌の『ヴォーグ』が、一頁カラーで紹介したほどの評判だったのです。国吉自身も出来栄えには満足していて、一九四八年の回顧展、一九五二年のヴェネツィア・ビエンナーレにも自選作品として出品しています。また作品はアイオア州の富豪に買い取られましたが、所蔵者の管理も行き届いていたためコンディションも大変良い作品だといえるでしょう。

同じ年に描かれた『デイリー・ニュース』は、おそらく国吉の全作品中、もっとも広く知られた名作です。この作品はハリウッドの名性格俳優エドワード・G・ロビンソンが所有していました。美術コレクターとして知られていたロビンソン夫妻は、ビバリーヒルズの自宅を美術館のように開放していただけではなく、所蔵作品の本や雑誌への複製についても開放

図42　カフェ　No. 2　1935年
石版リトグラフ　国吉康雄美術館

図41　タスコ、メキシコ　1935年
石版リトグラフ　両備文化振興財団

的でした。日本で戦後出版された美術本が国吉をとり上げる時には、きまって『デイリー・ニュース』が掲載されたのもそうした所有者の態度があったからです。

『デイリー・ニュース』は、その後アメリカのオハイオ州にあるシンシナティ美術館の所蔵品になります。シンシナティ美術館は、市や州からの援助を受けているとはいえ、純然たる私立の美術館で、ヨーロッパとアメリカの美術の収集・展示にかけては素晴らしい実績を誇っています。アメリカには地方主義の良き伝統がありますが、シンシナティはアメリカ中西部のモデルともいうべき都市です。プロ野球、プロフットボールのチームがあり、交響楽団も有名です。『デイリー・ニュース』は、シンシナティ市民にとって、アメリカ美術の巨匠ヤスオ・クニヨシの名品として誇りであり自慢の作品でもあります。

図44　海岸の板敷遊歩道にて　1936年
石版リトグラフ　国吉康雄美術館

この『デイリー・ニュース』を持つシンシナティ美術館と、国吉康雄美術館の母体であるベネッセコーポレーションが、作品の交流計画を五年間という長期にわたって行うことに同意したのは一九九五年三月の事でした。シンシナティ美術館からはもちろん『デイリー・ニュース』がやって来ましたし、国吉康雄美術館からは一九五〇年の大作『鯉のぼり』カラー図版73が海を渡って行きました。そんなわけで、『デイリー・ニュース』は二千年まで国吉康雄美術館に展示されているのです。

一九三六年の『バンダナをつけた女』も有名な作品です。全体に明るいトーンにまとめられていて、バンダナの赤をアクセントにしたきりっとしまった画面です。わずか一年の違いですが、前二作品に比べて微妙な色が、カンバスに薄く塗られ、その分だけ下絵のドローイングの線が画面の一部として巧みに使われている事がよくわかります。ここでも国吉の技巧と感覚が見事に示されています。

さて、この三点の名品を前にして、国吉がセミヌードの輝くような作品を、約二十年間描き続けた事について、もう少し考えてみる事にしましょう。国吉がセミヌードの女性像を描き始めたのは一九二八年頃で、終焉するのは一九四三年頃です。もちろんそれ以前にも、それ以後にも女性像を描いていますが、こうした作品の女性達は衣服をまとっていて、いわゆる定型化した〝国吉の女性〟像ではありません。なぜ国吉はこの時期にセミヌードの女性像を描き、またなぜ一九四三年頃から描くのをやめたのでしょうか。この事は前章でも述べましたが、もう一度復習をしておきたいと思います。

画家が何かを描く時、対象物に対して何らかの感情や考え方を持っています。それは形の美しさとか、色がきれいだとか、私たちが感じるのと同じような気持ちがまず最初にある事は疑いありません。そうだとすれば、この時期の国吉は、女性のセミヌードに対して並々ならぬ美学的興味を抱いていたと言えるでしょう。しかし、美しいからとか、きれいだから、という理由だけで画家が長年にわたって同じ主題を描き続ける、という事はあまり考えられません。特に国吉のような画家には、もっと深く複雑な理由があるはずです。

芸術家の心理を探る作業は、実はとても難しい事です。特に直接本人に聞く手立てもなく、また書き残したものも無い状態では当て推量になってしまう危険があります。そこで手始めに国吉が本格的なヌードの大作を発表した時に戻ってみましょう。それは一九二九年に、ニューヨーク近代美術館で開かれた『現存アメリカ十九人展』に出品した『横たわる裸婦』（一九二九年、北海道立近代美術館蔵）という作品です。この作品は、縦一メートル、横二メートルという大作であるばかりでなく、その構図の大胆さで批評家達の注目を浴びました。ある批評家は「まるで情事のあとのような」という表現で、この作品の野心的な試みを

『横たわる裸婦』（北海道立近代美術館蔵）
制作中

評価しました。それは当時のアメリカ一般の倫理観から言えば、かなりきわどい絵であり、とてもコレクターの家庭に購入される可能性の無い作品でした。

国吉はすでに書きましたように、一九二五年パリに渡った時にパスキンの勧めでモデルを使って女性を描くようになり、多くの難しい問題を少しずつ解決しながら制作を続けました。それが一九二九年になって突然にセミヌードやヘアーまでもはっきりと描いた作品を発表するようになるのです。同じ一九二九年制作の作品でもう一点、ブリヂストン美術館が所蔵している『横たわる女』にも同じような女性が描かれています。

何故、「まるで情事のあとのような」こうした作品が一九二九年から登場するのでしょうか。結論を言えば、それは国吉がその頃から情事に溺れる日々を送っていたからです。雇ったモデルと次から次へと関係を持って行った、と友人達は証言しています。そのほとんどの関係は単なる情事であり、行きずりの出会い以上に発展するはずのないものでした。名前も住所も、その後の出会いも何も残らない関係が次から次へと続いて行ったのです。

国吉がただ単なる欲望・快楽主義者であり、凡庸な画家だったら、彼の描くセミヌードは、ごくありふれたものになっていたでしょう。モデルのポーズがきわどくなれば、それだけ下品な作品が生まれたでしょう。ところが実際は、国吉の女性像はきわどさや下品さからは正反対の気品を保ち、同時代の人々にも、現在作品の前に立つ人々にも感動を与え続けています。女性像を前にして背を向けたり、見もしないで立ち去るような人はあまりありません。少なくとも、嫌悪感や羞恥心を持つような作品ではありません。

国吉のセミヌードが人をひきつけるのは、絵が国吉の欲望の対象を描いていたのではなく、女性の持つ美しさを、国吉の美学に基づいて描いたからだという事がわかって頂けると思います。国吉は、最初にモデルを前にして描く時、そのモデル自身を欲望の対象として扱う事が多かったのは事実ですが、それはカンバスにチャコールでドローイングをするまでで、実際にカンバスに向かって絵筆を取る時には、モデルは使いませんでした。その事が国吉のセミヌードが、単なるセミヌードから脱した独自の世界を築き上げている秘密です。国吉は自分の描く女性について次のように書き残しています。

「私は誰か特定の人物のポートレートを描いた事はない。私は女性そのものを描く事に興味があり、女性というものは装飾的であり、また女性を賞賛する事は自然なことであると思っている。私は、自分が女性はこうあるべきだと夢見ている〝幻の女〟（ユニヴァーサル・ウーマン）を描いているのだ。」

こうした美学を持っていた国吉は、女性を描くのに二つのプロセスを経る事を鉄則にしました。その第一段階は、モデルを前にしてカンバスにドローイングをします。国吉は直接カンバスにドローイングを始める事が多く、スケッチやドローイング作品はそう多くは残っていません。モデルを雇い、自分のイメージするポーズをつけると、カンバスにチャコールでドローイングをします。何日かかけてドローイングが終わると、国吉はそのカンバスをしまい込んで、次の作品にとりかかります。また別のモデルを雇ってドローイングから始めるのです。こうして、秋から春にかけて、国吉は沢山の女性のカンバスドローイングをストックします。そして夏の間は、ウッドストックの家で過ごし、同じウッドストックにあるアート・スチューデンツ・リーグの夏期学校で教えながら、社交的な生活を送ります。絵を描くこともありますが、それは女性像ではなく、風景や静物ばかりです。

やがて九月になって、暖房設備のないウッドストックの家から再びマンハッタンに帰って、女性像の第二段階に着手します。今度はモデルを使わず、ドローイングの上に絵の具を使って〝幻の女〟を完成させるのです。この時点で、国吉がドローイングを始めてから六か月から一年近く経過しています。国吉はその間に、モデルであった女性の姿を〝幻の女〟にまで昇華するのです。実際に絵の具を溶きながら、国吉は自分が理想的だと考える女性の肌の色、髪の色、顔の色など、独特の手法で用意します。国吉は理想的な女性として有色人種を描いた事はありません。数点のドローイング以外、ほとんどの女性は白人です。そして白人女性の肌の色を出すために、独自の顔料を作り上げましたし、その製法は記録され残っています。

こうして絵筆を進めて行くうちに、国吉の女性は、たった一人のモデルを使って長年にわたって描き続けたのではないか、と思えるほどに酷似した姿になって行きます。それは、大柄で、豊かなバストとよく発達したヒップを持ち、酒やタバコをたしなみ、下着だけの姿で自堕落な格好をして疲れをいやしている、そんな女性像です。しかし、そんな姿ではあっても、そこには性的嫌悪感や目をそむけたくなるような下品さはありません。完成した作品は、カンバスの隅々まで一定の緊張と美しさがみなぎっていて、描かれた女性に思わず見とれてしまうような品位を持っています。これこそが国吉が到達した〝幻の女〟なのです。

国吉の友人達の証言によれば、モデルは同じ人物であったことは殆どなく、むしろ一作、一作別人であったといいます。何れも白人でしたが、大柄で豊かな肉体の持ち主ばかりではなかったようです。髪の色も目の色もさまざまで、彼が完成した作品に直接結び付くようなポートレート的人物はいなかったのです。

このようにして、国吉の手によって作り出された〝幻の女〟は、結果的にはアメリカ社会の下層階級の女性像になっています。キャリアウーマンでもなければ、家庭の主婦でもありません。せいぜい時間給労働者、そして一番妥当な想像は、芸能関係者か売春婦と呼ばれる人々でしょう。一九三〇年代のニューヨークの中心マンハッタン島には、今から想像出来ないほど沢山の工場があり、そこで働いている時間給を基本にした賃金労働者も多数住んでいました。アメリカ経済の発展とともに、工場群は郊外へ、そして周辺諸州に、さらには外国へと移動して行くさまは日本の製造業の辿っているコースと同じですが、一九三〇年代には、アメリカ経済の中心であるマンハッタンにも工場群があったのです。

一握りの上流階級の人々を支えるのに多数の下層階級の人々が存在するのは当然で、富裕な家族が、ゆったりしたマンハッタンのコンドミニアム（日本の分譲マンション）やブラウンストーンと呼ばれる一戸建て高級住宅で生活するためには、何人もの女中、執事、運転手といった人達が必要です。こうして一九三〇年代のニューヨークを考えてみれば、そこに生活する人々が通常考えられているように、あるいは、映画に出てくるようにヨーロッパ仕立ての衣服を着て、何部屋もあるコンドミニアムに住み、郊外に庭付きの別荘を持って優雅な生活を送っている、といったイメージとはかなり違ったものである事がわかるでしょう。

図46　無料宿泊所　1938年　石版リトグラフ　両備文化振興財団

図47　綱渡りの女　1938年　石版リトグラフ　国吉康雄美術館

マンハッタンの生活は、ほんの一握りの裕福な人々とその生活を支える多くの人々、そして経済活動の中でも現場労働者と呼ばれる人々によって構成されていました。すなわちマンハッタンの住人の多くは下層階級に属する人々だったのです。そこには、日本人が現在持っているような中流意識などかけらもなく、自分の肉体の強靭さが唯一の財産である事を当たり前として受け止める人々の生活があったのです。

国吉が〝幻の女〟として描いていたのは、現実には存在しない人であっても、結果としての姿はこうした階級に属する女性達です。健康で若々しい肉体の持ち主たち、そしてその肉体が資本の女性達です。生々しい情事の後を示すようなものはこの三点の作品にはありませんが、それでもくつろぎというよりは、しどけない態度に、彼女たちの日常生活のありさまがうかがえるようです。女性達は同じように物思いにふけっています。タバコや新聞を手にしながらも、目はうつろにあらぬ方向を見ているようです。それにしても女性達の肌の色は背景の壁の色と、何と見事な調和を示していることでしょう。国吉の技術と美学が見事に結実したこれらの女性像をゆっくり時間をかけて御鑑賞下さい。

女性像のほかにも国吉の一九三〇年代の作品は著しい個性を発揮しています。国吉康雄美術館に展示されている『西瓜』《カラー図版45》（一九三八）と『逆さのテーブルとマスク』《表紙》（一九四〇）という静物画は、わずか数年の隔たりをおいて描かれた作品ですが、国吉の静物画に対する考え方の変化を示しています。

『西瓜』は、国吉の構図としてはきわめてあっさりとしていています。テーブルの右半分は無

『逆さのテーブルとマスク』制作中
(Photo：Max Yavno)

図48 自転車乗り 1939年 石版リトグラフ 両備文化振興財団

造作にテーブルクロスが敷かれ、その上に半分に切った西瓜が、ごろんと置かれているだけの絵です。試みに『日本の張子の虎とがらくた』と比べてみれば、構成の単純さがよくわかるでしょう。対象物の組み合わせの段階で国吉はいつも時間をかけて、形と色に細心の注意を払いますが、この絵に限って、国吉の関心はそこには無かったようです。いや正確にいえば、形よりも色にだけ注意を払い、それを描きたかったのではないかと思われます。

これは、国吉の画業をずっと眺める事ができる私達の特権ですが、国吉は一九三八年には、とても緑色と赤に関心を示しています。有名な作品では、ホイットニー美術館の『私は疲れた』の背景の壁の色、メトロポリタン美術館所蔵の『アコーディオン』の色なども緑が主になっています。特に『アコーディオ

『バレーダンサー』（1940年　チャコール
Honolulu Academy of Arts）制作中

ン』は『西瓜』と同じく、スカーフの赤を対照として扱っているのまで同じです。つまり、この絵を描いた一九三八年の国吉は、緑と赤に、それもきわめて鮮やかな色調に興味を持っていたと言えるでしょう。この『西瓜』について国吉は、一九四四年八月二十四日にエッセーの中で次のように書いています。

「西瓜を描いていた時に、途中で西瓜が痛みはじめ、描き終わる前に皮まで腐ってしまった事があったのを思い出す。西瓜は虫だらけになってしまったが、面白い事に一か月が過ぎ去り、絵はまだ完成していないのに、西瓜自体の原形が崩れ去った後でも、全ての物を制作を始めた時に組み立てた通りにしておくと、目の前に私は西瓜を感じ、視覚化することが出来たのである。」（国吉康雄美術館報　第五号　国吉康雄「静物画について」所収）

国吉は、この絵を一九三九年のボルティモア美術館の『現存六人のアメリカ画家』展、一九四〇年のカーネギー美術館の『第三十八回国際絵画展』に続けて出品しています。そして一九四八年のホイットニー美術館での『国吉康雄回顧展』にも出しているのです。大きいけれども単純な構図のこの絵に国吉が執着したのは、自分の意図するところを人に知ってもらいたかったからに違いありません。その意図とは、一九五〇年代に入って開花する国吉の色面構成の追求の実験であったと思われます。一九三八年という年の国吉は、静物画を通して十年先に開花する色の世界の試みをはじめていたのです。

『逆さのテーブルとマスク』は、こうした国吉美学の新しい方向性を意図したものではなく、その時までに蓄積してきた技術と美学の総集成と考えた方がいいでしょう。構図的には複雑で、理解に苦しむような対象物の組み合わせと、不安感を抱かせるようなバランス、そして見事なまでの中間色のトーンと筆遣い、そうした素晴らしい点をあげればきりがないでしょう。ニューヨークの近代美術館に所蔵されていたこの作品は、幸いにもベネッセコーポレーションに購入され日本の人々にも鑑賞される機会を得て、国吉が卓越した画家であった事を証明しています。

この絵に新しいものが加わっているとすれば、それは象徴主義的な側面でしょう。アメリカでも日本でもこの絵が何を象徴しているのか、という議論は何度もなされてきました。特にこの絵の描かれた一九四〇年という日米関係悪化の時に、国吉はこの絵に何を託したのか、という想像はいくつもの解釈を生み出します。それは今まで何度も繰り返し述べて来ましたが、国吉自身は答えようとせず、一人一人が作品と対話して納得するより他ありません。五十年以上も経たこの絵の持つエネルギーは、象徴的な解釈を楽しむのに十分過ぎる圧倒的な力で迫ってきます。作品の力強い語りかけに、ぜひ立ち向かってみてほしいと思います。

国吉は一九三二年にキャサリンと離婚し、一九三三年には母校アート・スチューデンツ・

リーグで教え始めます。そしてダウンタウン画廊と契約して画家としての地位を固めます。一九三四年にはペンシルヴェニア・アカデミーでテンプル・ゴールドメダルを受賞し、一九三五年にはグッゲンハイム助成金を得るといった栄誉にも輝きます。さらに一九三六年からはニュー・スクール・フォー・ソーシャル・リサーチでも教え始め、教育者としても忙しくなります。左翼系の美術家団体「アメリカン・アーティスツ・コングレス」（アメリカ美術家会議）に参加したのも一九三六年で、社会的なアーティスト、教育者としての役割も大きくなって行きます。また一九三七年にはウッドストックの家に暗室をつくって、写真の現像を始めます。国吉の写真は、絵とは違った意味で大切ですが、その膨大なネガは、アリゾナ州トゥーソン市にあるセンター・フォア・クリエイティヴ・フォトグラフィーに収蔵され、未亡人の希望で焼き付けられないままになっているのは残念な事です。

一九三〇年代の国吉は、ここで見て来たような力強く個性的な作品の発表と、社会活動を両立させた充実した日々を送っていました。四十歳台の国吉は、自己の世界を築き上げ、技術的にも円熟して、押しも押されもしないアメリカ人画家の地位を確立していたのです。しかし、そうした成功の裏には、国吉のプライベートな生活があり、画家国吉とは別の国吉康雄の生活もありました。

一九三五年に国吉はサラ・マゾという名の女性と再婚します。彼女は小柄なとてもチャーミングな女性です。サラ夫人は今も元気で、夏はウッドストック、それ以外の時はニューヨーク市で暮らしておられます。モデルとして雇われた事が知り合うきっかけで、当時彼女はマーサ・グラハム・ダンス・カンパニーに属していたモダンダンサーだったそうです。二人は結婚して、サラはまもなく近代美術館に勤務するようになります。サラの側から国吉との生活をみてみると色々な事がわかってきます。グレニッチヴィレッジのアパートで朝食をすませると、サラは一週間に六日間、近代美術館に勤めに出ます。国吉も、学校に教えに行くか、スタジオに出かけます。サラは九時から五時までの定刻勤務ですが、国吉のスタジオでの制作は太陽の具合でかなりかわります。また、ニュー・スクールでの授業は夜間部だったので帰宅の時間はまちまちです。その上、アーティストの団体の活動も加わるので国吉がアパートに居る時間はとても限られます。

五月末から九月始めまで、国吉はウッドストックの家で暮らします。花を育てる事が好きだった国吉は庭に沢山の花を植えて、手入れに追われます。パーティーに招いたり、招かれたり、夏の芸術村はゴシップが飛び交い、演劇祭や音楽祭が行われ、さまざまな問題について議論が弾み、情報が交換される社交場になります。国吉はのびのびとした気持ちで、こうした社交場の一員として楽しい夏を過ごします。そして、キャッツキル山脈の山々の木々が色付く頃、ウッドストックの村から、芸術家達はそれぞれの生活の場に戻るのです。

一方、仕事を持っているサラの夏休みは限られており、その期間を除くと、ウッドストックでの生活は週末だけで、日曜日の夕方になると数時間がかりでニューヨークに帰り仕事を続けていました。大小にかかわらず別荘を持つという事は想像以上に、時間と手間と経費のかかるものです。ペンキを塗ったり、植物の手入れをしたり、壊れた箇所を修理したり、次

画家仲間と（右端：フィリップ・ガストン
1940年代中頃）

サラ夫人，マサチューセッツ州ナンタケット島にて（1951年）

国吉夫妻と愛犬ペニー，ウッドストックの自宅の庭（1940年代）

リーグの生徒たちと，ウッドストック国吉邸の庭（後方に木馬，1950年頃）

リーグの生徒たちと，ウッドストック国吉邸の庭
（後方に木馬，前方の生徒はポール・ジェンキンス，1950年頃）

マサチューセッツ州ナンタケット島にて（1951年）

から次へと雑用が出てきて、結局雪が降って暖房設備無しでは住めなくなる時期を除いて、国吉は夏休み後もほとんど毎週ウッドストックに通います。

こうしてサラの視点から見れば、国吉との生活は共に過ごす時間がとても少ない事がわかります。その上、二十歳以上も年齢が違い、すでに交友関係や社会的地位をつくり上げていた国吉の世界に入って行くのに、サラが戸惑いを感じたのは当然でした。国吉の友人達は、共に学び生活してきた人達が大半で、この人達は、キャサリンと国吉が結婚する前から友人だったのです。友人達はサラをいつも暖かく迎え入れてくれましたが、彼女には妻として何か言い知れないものをいつも感じていました。あまりにも夫の事を知らなすぎる自分に、彼女は負い目を感じていたのです。

国吉はサラとの結婚を機に、スタジオでのアーティストとしての生活とアパートでのプライベートな生活をはっきりと区別し、分離してしまいました。制作をスタジオで行うだけでなく、郵便物も電話も全てスタジオ宛で、アパートには画家国吉の生活を持ち帰りませんでした。ですからサラは、夫がスタジオでどんな作品を制作しているのか、ほとんど分かりませんでした。国吉は問われない限り、画家としての自分を語らなかったし、サラも尋ねる事はあまりないままに時が過ぎて行きました。ビジネスの面はダウンタウン画廊が引き受けていますし、職業婦人として忙しいサラは、スタジオを訪れる事もほとんどなかったのです。

このような生活を、日本の女性はどのように受け取られるでしょう。多分、サラリーマンの妻である方には、さほど不思議でもない事かもしれません。また職業婦人にとっても、やむを得ない事だと思われるかも知れません。サラ夫人の立場を考える時にも、人によってさまざまな見方があるのは当然です。二十歳そこそこで、突然全く知らない世界に入ったサラは、彼女自身の言葉でいえば、戸惑いと不安感がいつも心の大きな部分を占めていました。その上、国吉は、しばしば家をあけるようになります。モデルになった女性達との関係は、サラとの結婚後も起こりました。数日、そして時には数週間外泊が続く事がありました。そうした間もサラは、近代美術館の仕事を続け、国吉の帰りを待ちました。そして国吉はいつもサラのもとに戻って来ました。国吉とサラの結婚生活はこんな風にして続いたのです。

一九三〇年代の国吉作品は自信に溢れ、評価もきわめて高く、アメリカ人画家の第一人者としての名を確立しています。社交家で、申し分のない先生であり、同僚画家からも指導者として尊敬されてもいました。しかし一方、プライベートな国吉は、気まぐれで、移り気で、感情の起伏の激しい人でもあったようです。サラに対する気配りであったはずのスタジオと生活空間の分離は、逆にサラを不安にさせる事が多かったのです。賢明なサラは、国吉の思うままにさせて、ひたすら自分の生活を守る事に専心しました。国吉は何度もサラのもとを離れては、舞い戻ってくるという生活を続け、年を経るとともに、一緒に過ごす時間が長くなって行きました。

結婚生活にはきまりきった型などはありません。国吉とサラの結婚生活は、このようにして続けられ、一九四〇年代の後半には、出来る限りの時間を共に過ごす夫婦になって行きます。二人の間の年齢差が最後にはなくなってしまった、そんな感じさえ持つような仲の良い夫婦になった、と友人達は証言しています。そして、再び女性像について考えてみる時、一九二八年頃に始まったセミヌードが、一九四三年頃には描かれなくなり、かわりに服を着た女性像が描かれるようになるといった大きな回帰の経過が、国吉と異性の間で相関関係を持っている事がわかってくると思います。

そうした国吉の一九三〇年代のプライベートな生活の一面とは別に、社会は大きな動きをします。日米関係の悪化は、国吉の心情にも大きな影を落とします。『逆さのテーブルとマスク』にあらわれた複雑で屈折した心理は、一層錯綜したものになって行きます。また彼の感情の起伏の激しさは、躁鬱病としてあらわれます。輝かしい画家としての成功と、破綻の危険をいつもはらんだプライベートな生活、そして戦争という社会的事件を抱えて、国吉は一九四〇年代の生活に入って行きます。

第八章　戦争と表現

国吉が『もの思う女』や『デイリー・ニュース』といった大作を完成させた一九三五年、ヨーロッパではヒットラーがヴェルサイユ条約を破棄してドイツの再軍備を宣言し、「純血保護法」を公布して、ユダヤ人迫害に法的な根拠を与えるといった、おぞましい第二次世界大戦に突入する道が準備されていました。イタリアは、エチオピアに侵攻して、地中海での大ファシスト帝国の建設をもくろんでいましたし、日本では、満州国皇帝の日本公式訪問の儀式が行われ、関東軍の企てた、日本による中国大陸の植民地政策が予定通り進行していました。ヨーロッパでもアジアでも、戦争は次第に避けられない事態になりつつありました。

この年から第二次世界大戦が終わる一九四五年までの歴史は、その人がどの国や地域に住み暮らしていたかによって、随分と違ったものになります。日本人やドイツ人、イタリア人の歴史に対して、当時の植民地の人々、ヨーロッパ各国やアメリカの人々、それぞれの歴史の見方や体験は大変違ったものでした。

戦勝国であり連合軍のリーダーでもあったアメリカも、決して単なる勝者であったのではなく、多くの国民の生命・財産を犠牲にしています。終戦から半世紀を経て、この戦争を世界中の人々が、できるだけ冷静に、客観的に、そして自国の自分の視点からだけでなく、他国の他人の視点からも捕らえようと試み始めています。そうしたさまざまな視点からの事実の見直し作業によって、数多くの資料が発見され、隠れていた事実が明るみに出されています。
　アメリカと第二次世界大戦という視点からも、幾つもの事実が明らかになってきていま
す。特に、日系人の戦時下の事情については、最近大きくクローズアップされてきたトピッ
クです。日米間の問題としてアメリカで話題になるのは「原子爆弾」の投下と「日系人強制
収容所」です。日本では原子爆弾については、大きな社会問題として、過去五十年間夏ごと
に必ずとり上げられ論じられてきました。しかし、日系人強制収容所の問題は、日本でもア
メリカでも注目を集め始めたのはごく最近の事です。驚くほど多くの人が、この問題につい
て無知、無関心でした。少なくとも強制収容所の事はアメリカでは触れる事をタブー視して
きたとも言えます。アメリカが自国内で行った強制収容について、事実関係だけを少し確認
しておきましょう。

　一九四一年十二月七日（日本時間では八日）、ハワイの真珠湾に停泊中のアメリカ艦隊に
対する日本軍の奇襲で太平洋戦争は始まりました。アメリカは奇襲を受けて慌てふためきま
したが、ただ一つ極めて迅速に行動した事があります。それは、ハワイ及び本土に住む日系
人の〃疑わしい人々〃を拘束し、留置所に収容する事でした。十二月八日だけでも七三六人
の日系人を逮捕しましたし、たちまちその数は数千人になりました。これらの日系人は、日
本政府と関係を持って、アメリカに対して不利益な行動をした〃疑いのある人々〃とされた
のです。アメリカは日本の奇襲には驚きましたが、もし日米が戦争状態に入った場合、何を

どうするかというシミュレーションは十分に行っていて、日系人の逮捕は予定の行動であったわけです。

こうした戦争状態にいたるまでの半世紀に、日本人のハワイやアメリカ本土への移民は多くの問題を引き起こしていました。その原因についてはここで論じる必要はありません。私達が知っておかなければならないのは、日本移民がすでにアメリカへの移民不適格民族と認定されていて、不動産の取得などは認められず、永住権所有者であってもアメリカ国民にはなれない人々であったという事です。ところがアメリカの法律には別のものがあって、アメリカで出生した者にはアメリカ国籍が無条件で与えられるのです。すなわち、アメリカに住む日系人のうち、移民一世に対しては国民になる事を禁じていましたが、アメリカ生まれの二世は、アメリカ国民だったのです。

アメリカの日本人社会を理解する上で、この事実を知っておくことは重要です。一九五三年に移民法が改正されるまでアメリカ国民になる権利すら持っていなかった一世、生まれながらにアメリカ国民である二世、この二つの国民が同じ屋根の下で暮らしていたのが日系人家族の構成だったのです。

その上に、日系人の社会構成を複雑にしたものに、二世の義務教育があります。家父長的な一世達の多くは、アメリカの教育制度を信頼せずに、自分の子供達を日本の親戚に送りかえし、日本で義務教育を受けさせたのです。こうした子供は、日本とアメリカの二重国籍を持って、日本での義務教育を終えると再びアメリカに戻ります。ところが帰米した若者は子供時代を日本で過ごしたため、アメリカに戻っても英語を話すことも書くこともできず、結果的には日本語しか通じない日系人社会に入るより他に生きる方法がなくなるのです。西海岸の日系人社会はこのようにしてつくり出され、日系人だけで自給自足できるアメリカの中の日本がつくり上げられて行きました。

このようにして、日系人は、アメリカ人から差別され、また差別されるような事をしながら、主としてハワイとアメリカ西海岸に住んでいました。戦争が始まって三か月後にルーズベルト大統領は、大統領令九〇六六号に署名しました。この法律は、西海岸の指定軍事地域に住む住民退去を含む全ての権限を、陸軍省長官とその配下の軍司令官に与えていました。これにもとづいて、西部地区防衛司令官だったジョン・L・デウィットはワシントン、オレゴン、カリフォルニア、アリゾナの各州に居住する日本人一世、二世、三世など約十一万人を、まず十六箇所のアッセンブリー・センター（集合所）に収容し、さらに強制収容所十箇所に入れたのです。こうして一九四五年秋まで、西海岸に住んでいた一般日系人達は収容所での生活を強いられ、二世達で兵役義務のある者はアメリカ人としての役割を果たすべく強制収容所から出征して行きました。

この事実はアメリカにとって大きな禍根を残しました。アメリカがどのような言い訳で取り繕ってみても、強制収容の事実は消えるものではありません。そして収容から四十六年たった一九八八年八月十日にレーガン大統領が、下院決議四四二号に署名して、被収容者であった日系人生存者に対し一人当たり二万ドルを支払うことにより、合衆国と日系人の間での政治的決着がつけられました。

強制収容されたのは、アメリカ本土の西海岸四州の日系住民であり、当時のハワイの人口の三分の一を占めていた日系人、それに四州以外のアメリカ本土に住んでいた日系人は対象になりませんでした。ハワイはともかくとして、西海岸以外の地域に住んでいた日系人の数は少なく、日本人コミュニティーをつくることもなく、専門職についている者が多く、意識の上でも、行動でも明らかに西海岸の日系人とは違っている人が多かったようです。国吉は、ニューヨーク市に住み、強制収容の対象とはならなかった日本人の一人です。そして国吉の意識と行動は、強制収容された西海岸の日系人とは違ったものでした。国吉については、一九九二年十月に国吉康雄美術館が開催した展覧会『一九四〇年代の国吉康雄』のカタログに詳しく書きましたので御参照下されば良いと思います。ここでは、国吉の行動や思考が強制収容所で収容された日系人と、どこがどう違っていたかを、できるだけ明らかにしてみたいと思います。

最近になって、日系人強制収容所の内部の様子が少しずつ一般に知られるようになってきました。それは一九九二年の下院決議四四二号が発効して、日系人達がアメリカ人として堂々と自分達に加えられた差別の不当性について発言するようになった事と、アメリカ人が朝鮮戦争やベトナム戦争を通して、戦争に対して嫌悪感や罪悪感を持つようになった事と無関係ではありません。美術に関して言えば、一九九二年十月にカリフォルニア大学ロサンゼルス校のワイト・アート・ギャラリーで開かれた『内側からの視点——強制収容所の日系アメリカンアート』展が、こうした証言の一つです。強制収容所の中で日系人アーティスト達が、美術学校を作って教育をしながら、自分達も制作をしていた事実を記録をもって証明した貴重な意義深い美術展です。

国吉康雄は、大多数の日系人からすれば、日系人らしからぬ日系人であったと言えます。日本移民の多くと同じように、西海岸に到着し、日系人社会に組み込まれて労働者としての四年間を過ごした後、国吉は西海岸の日系人社会から脱出しました。それから後、どのような経過を経て国吉が、アメリカ人として自分の地位を築いて来たか、という事もここまでに見て来た通りです。国吉は、日系人社会からは地理的にも意識的にも心理的にももっとも遠い所に住んでいた日系人でした。むしろ国吉は、日系人社会を憎んでいたところがありました。心理学的に言えば、近親憎悪ともいうべき感情を抱いていました。この事を国吉は、口にしていますし書き残してもいます。

戦争が始まった時、アメリカ政府は国吉をアメリカ人ではなく日系人として扱いました。真珠湾攻撃の直後、ＦＢＩや移民局や市役所などの役人が国吉のところへやって来ました。もちろん国吉には、長い間こうした組織の監視がついていたからです。そして、国吉が無害である事が分かっていましたから、簡単な取り調べとともにカメラ、双眼鏡などスパイ活動に使われる可能性のあるものが没収され、ニューヨーク市外に出る時は許可を得るようにと言い渡されました。役人にすれば上司からの命令に従って行動しているに過ぎない事も、国吉にとっては、アメリカ人である自分に対して理不尽で不当なものに思えました。何よりもアメリカ人画家国吉のプライドを傷つけました。

国吉は、自分自身がアメリカ人画家であり、アメリカ国民としてアメリカのためにそして自由と民主主義のために出来る限りの事をする、という意思表示を始めます。美術家団体、友人、政治家などに手紙を書いてアピールします。大統領にも手紙を出しています。日本向けの短波放送の原稿も書きますし、中国人救済のための個展を開催したり、戦時情報局のためのポスターの制作もします。こうした行動は、国吉がアメリカ人であり、日本人ではないのだ、国籍は日本にあっても、それはアメリカの法律がそうさせているだけであって、自分はアメリカ人なのだ、という強烈なアピールに他なりません。

国吉の「アメリカ人」意識は、日系人に対してもっと明確にあらわれます。

「この国における外国人であることの内気さからか、異邦人ゆえの気の小ささからか、または、明らかな風貌からか、そのいずれにせよ、日系人の間には、特別の自意識過剰と不器用さが存在している事は否めません。それが、アメリカに移民した日本人のあまりにも多くの人々を隔離の方向へ導き、同じ人種間でのみ交際する傾向を作り出したのは事実でありま す。彼等は自分達の事を自分達だけで包み込み、そして、一般的な世界の事を知ろうとする時には、この国で出版されているか、あるいは遠く離れた母国から送られた日本語の新聞を読むのです。こうしたコミュニティーでは、日本社会と日本人との交際は重要な役割になっています。通常、それは本国政府の哲学に基づいて、本国の繁栄と利益のためにコントロールし指導する事を目的とする日本領事館と手に手を取って行われてきたのです。このように、例えどれほど長くアメリカで生活をしていようとも、こうした日本人の地位は、外国における旅行者の立場の範疇にとどまっているのです。アメリカ市民として生まれた日系二世の中にも、今なお、彼等の両親が後にした遠い国に焦点を合わせた、古い感情にしがみついている者もあるのです。」

これは一九四二年四月十五日、ニューヨーク市で開かれた「ジャパニーズ・アメリカン・コミュニティー・フォァ・デモクラシー」（民主主義のための日系米人委員会）の集会で国吉が行ったスピーチの一節です。ここで国吉がとっている態度は、完全にアメリカ政府側に立ったものであり、国吉自身はアメリカ人であり、日系人とは違うのだという意識がありありと示されています。それは指定軍事地域にされた西海岸四州に住む日系人十一万人が、アッセンブリー・センターに集められ、さらには強制収容所に移送されるのは当然であり、アメリカ政府の行動は正当であると宣言しているのに他ありません。この国吉の心情は、自分も日本人としてアメリカ政府の監視下にあるという事実から離れてしまっています。

これは国吉に限らず、多かれ少なかれ、指定軍事地域の外に住んでいた日系人達、とくにアメリカ東海岸に住んでいた日系人に共通する意識と心情だったと言えます。「民主主義のための日系米人委員会」の実体については詳しい事はわかりません。しかし、この委員会を構成していた日系人達が国吉と同じような意識や日系人観を持っていた事は容易に想像できます。

国吉は、収容されなかった日系人のとるべき態度について考える会合を、この頃盛んに開いています。そして、その中にこんなエピソードが残っています。国吉を中心に彼のスタジオに集まった日系人アーティスト達が、アメリカ政府のために自分達はどのような貢献ができるかを相談しました。その結果、収容所にいる日系人達に美術教育が出来るのではないか、という話になり、まず代表としてイサム・ノグチが収容所に行く事が決まりました。イサム・ノグチはアメリカ生まれの二世で、ハーフであり、すでに彫刻家として名を成していました。ノグチは日系人教化の先鋒としてアリゾナ州ポストンにある強制収容所に志願して入所し、美術教育の実施をもくろみました。しかし、結果は大失敗でした。意気込んで乗り込んだポストンで、戦時移住局の役人はノグチを単なる被収容者としてしか扱ってくれませんでしたし、また収容されている日系人達も、ノグチの下で美術教育を受ける気持ちは毛頭なかったのです。

数か月がんばったノグチはついに美術教育を断念して出所しようとしましたが、今度は戦時移住局が認めてくれません。当局にすれば自ら志願して入所して来たノグチを出所させなければならない理由などなかったのです。強制収容された日系人は、収容理由として「たとえ一滴たりとも日本人の血が入っている者は収容しなければならない」という基準があり、ノグチは二分の一の日本人の血を持っているのだからこの判断は当然でした。こうしてノグチは、収容所から出るためにあらゆる人脈を通じて政府筋に働きかけ、数か月かけてようやく出所にこぎ着けました。しかし、ポストン収容所の日系人の間では、ノグチが政府と取引きをしてこそこそ逃げ出したという噂が長く囁かれていたそうです。

このエピソードでも明らかなように、国吉やノグチのような東海岸の日系人アーティスト達の考え方や行動は、強制収容所の内側からアメリカを眺めていた日系人にとって、観念的であり自分勝手な理想主義であり、高踏的であり、もっと言えば差別主義的でもありました。国吉やノグチの考え方は、収容所の日系人達との間に大きなズレがあったことは、他にもさまざまな傍証があります。これは、国吉が持っていた近親憎悪的な日系人に対する感情を別にしても、アメリカの地理的な大きさにも起因しています。日本から見れば西海岸は一番近いアメリカであり、カリフォルニアが即ちアメリカであると考え勝ちですが、首都ワシントンや商都ニューヨークから見れば、カリフォルニアは大陸の一番端にある州で、簡単に言ってしまえば一番遠くの田舎なのです。この事情は特に五十年前には今よりもっと顕著で、ニューヨークから見れば西海岸は、文字通り「文化果てる所」でした。美術の世界では、その事情が際立っていましたから、国吉達の考え方は、東海岸に住む人達の一般的認識だったと言えるでしょう。

しかし西海岸に住む日系人にしてみれば、自分達の精一杯の生き方や、アメリカ政府が日系人に対してとった態度に、他の地域に住む日系人からの慈悲心や優越感は迷惑以外の何ものでもありませんでした。もっともらしく教育を施してやると言われても、ソッポを向いてしまったのは、ノグチの例でもよくわかります。そして、また一方ではタンフォランのアッセンブリー・センターで設立され、ユタ州トパズの収容所に移住してからも続けられた小圃千浦や日比松三郎といった、強制収容された画家達が運営した収容所内の美術学校には、溢

図50　廃車　1940年　鉛筆　国吉康雄美術館

図51　古い切り株　1940年　鉛筆
国吉康雄美術館

れるほどの参加者があり、そこから何人ものアーティストが育って行ったことは記憶しておいて良い事だと思います。

そしてまた、国吉やノグチ達のアメリカ政府に対する認識も現実とは大きなズレがありました。ノグチの場合にはすでに見て来たように、自分はアメリカ人なのだから何時でも自由に強制収容所に出入り出来ると信じ込んでいました。同じ立場にある人が西海岸に住んでいるというだけの理由で強制収容されているところに、自分は特別なのだという思い上がりで入って行った、という事実は、認識のズレというようなレベルの問題ではないのかもしれません。根本的に自分の立場がわかっていなかった、と言った方が適切でしょう。

日本国籍しかない国吉は、さすがに強制収容所に自由に出入り出来るとは思っていなかっ

スケッチをする国吉（1940年代）

たようですが、やはりアメリカ政府に対しての認識には、現実とは大きなズレがありました。終戦の直前に国吉は陸軍省に一通の手紙を出しています。その内容は、アメリカ政府に対して協力したいという「入隊志願」の手紙でした。五十六歳の国吉が軍隊で出来る事はないという事務的な返事を受け取っても、国吉はまだあきらめずに当時の国務副長官ウイリアム・ベントンに次のような手紙を一九四五年十月十一日に出しています。

「日本の政府と国民に民主主義の意味を理解させるのは、長い道程の困難な仕事であろうと思います。……彼等は何世紀もの間、同じ空気を吸って、他の人々から得る事のできる進歩と啓示を拒んできています。……人口の大多数は無知な人間であり、その考え方はナショナリズムと忠誠心で偏狭になっております。

とは言え、私は一九三一年に日本を訪れた時、有識者の中に他の文化や文明を含む新しい発展を学び、自分のものにしたいと興味と情熱を持った人々を発見しました。私はアーティスト、作家、そしてコレクターの中に、文化の面で特別に優れている何人かの人にも会いました。彼等は進歩的な考えを持っており、もし正しい奨励と保証が与えられれば、助けられる人々だと私は信じます。この時期、長い間支配されていた文化の分野で活動的な人々を、開放された日本を作り上げるのに活動させるのは重要であります。……日本の再建の時には、私は、私の特別な日本との関係と、合衆国と同じように、日本でもよく知られております私の名前ゆえに、いささかの手助けができるものと確信しております。」

この手紙は親友のレジナルド・マーシュの紹介状を添えてベントンに送られ、ベントンも国吉の提案に少しは心を動かされたようですが、結局はマーシュを通して適当なポジションが無いという理由で断りました。

アメリカ政府は、日本の戦後処理についても日系二世を適所に配置して占領政策に有効な方法をとりましたが、日系一世はその対象にはなりませんでした。いくら国吉が有名であったにしても、アメリカ国籍を持たない人間を占領政策に雇用する事はできません。しかし国吉はあくまでも自分は〝特別〟な人間であると信じて疑いませんでした。それだけに、ベントンからの断りは大きなショックだったようです。

国吉は、戦争が終わってしばらくしてから、ようやく日系人との認識のズレだけでなくアメリカ政府との認識のズレにも気が付きます。そして自由と民主主義を信奉して、日本と日系人を非難し、ひたすらにアメリカ政府を信じて来た国吉は、その両方から強烈な反発と拒否を受けた事でひどく傷付いたのです。そして、この心の傷が一九五三年の死までの国吉作品の重要なモチーフになります。そのモチーフとは、自画像としての道化師です。しかし、これについては後に述べることにして、国吉が戦時中及び戦後間もなくに、どんな絵を描い

コロラドスプリングズにて（1941年8月）

ていたかを見てみましょう。
国吉は一時的に戦争によって起こったさまざまな問題に時間を費やしましたが、画家という仕事を放り出したり、教育者としての義務を怠るような事はありませんでした。むしろ身分の保証を得てからは、制作に集中する事が多くなったようです。画家としての国吉は、まるでサラリーマンのように定刻にスタジオに入り、学校で教え、制作に励みました。

国吉は一九四〇年の夏には、ニューイングランド（アメリカの東北部六州からなる地方）各地を、そして一九四一年の夏には、アメリカ南西部を旅行しました。いずれもリーグの学生や、弟子ともいえる画家達との自動車旅行です。国吉はこの頃ひどい鬱病でした。同行した人の証言によれば、国吉は同行はしたもののほとんど口をきかず、終日押し黙ったままで、しゃがみ込んでスケッチをしていた、といいます。一方では『逆さのテーブルとマスク』のような作品を完成させながら、国吉は黙り込んだまま人と会う事を極端に避けてスタジオに閉じこもっていたようです。

一九四一年のコロラド州やネバダ州を旅行した夏は、前年に比べて少しは症状が回復したようです。今まで見た事もなかった荒涼とした南西部の風景を前にして、国吉はイーゼルを持ち出して、カゼインやガッシュといった新しいメディアの画材を使って直接描き始めます。スケッチもかなり沢山するようになりました。ダウンタウン画廊に宛てた手紙で国吉は、コロラドスプリングズの日々を次のように書いています。

図52　ゴーストタウン　1941年　鉛筆
国吉康雄美術館

図53　カウボーイ　1941年　鉛筆
国吉康雄美術館

「私はここにやって来てほとんど一か月になりますが、この場所が好きでとても素晴らしいと思います。このあたりには興味をひかれる場所が沢山あって、私はそれをガッシュで描いています。クリプルクリーク、ヴィクターといった金鉱山の廃墟の町は、ここからほんの五〇マイルほどの所ですし、その風景は説明のしようもありません。……」

ニューイングランドや南西部でのスケッチは、国吉康雄美術館が何点も所蔵しています。病気と闘いながらの国吉の執念のようなスケッチです。墓石や流木、波に打ち上げられたゴミ、そんなものがニューイングランド旅行では興味の対象になっています。南西部旅行でも、同じように人が住まなくなった無人の所や、不毛の砂漠に似た風景などが描かれています。コロラドで描いた『風景』（一九四二）というガッシュの作品が、国吉康雄美術館にありますが、メディアの違いによるだけでなく、技術的にも油彩の作品とはかなり劣っています。スケッチにしても、この作品にしても、国吉の躁鬱病がかなりひどい状態であった事がわかります。

作品としての完成度やメディアへのなじみ方に問題があったとはいえ、ニューイングランド地方やアメリカ南西部への旅行は、国吉の絵に大きな影響をもたらします。国吉の心情表現によほどぴったりと風景が重なったのか、国吉は風景画としてだけでなく、静物画の背景に、旅行中のスケッチをもとにした風景を描くようになります。『二匹の犬のいる風景』《カラー図版62》（一九四五）は、風景の中に犬を配しただけですが、『恋人たちの道』《カラー図版65》（一九四六）や『少女よお前の命のために走れ』《カラー図版63》（一九四六）には人間が配置されて、暗示的なタイトルとともに、国

図54　ヴィクター、コロラド　1941年　鉛筆
国吉康雄美術館

図55　風景（コロラド）　1941年　ガッシュ
国吉康雄美術館

吉の屈折した心理を投影した作品になっています。これらの作品はいずれも国吉康雄美術館が所蔵しています。

しかし、この時期の国吉の代表作を鑑賞しようとすれば、倉敷の大原美術館にまで足をのばして頂きたいと思います。大原には『跳びあがろうとする頭のない馬』（カラー図版61）（一九四五）が展示されているからです。木の十字架にかけられた一本足の頭のない木馬、白い紙の上の手袋とぶどう、国吉自身が戦時情報局のために描いたポスター、木馬にからみついているトイレットペーパー、遠くに見える急勾配の屋根の建物、コロラドのような茶色の山、空を舞っているワシ、ひとつひとつ見ていけば全てそれぞれが何かを象徴し、何かを意味しているようなものが描き込まれている絵です。戦争と国吉のかかわりを一番良く表現しているようなこの絵について、批評家達は国吉に解説を強く求めました。し

『祭りは終わった』制作中

かし国吉は、いつもの通り、いや以前にも増してかたくなに口を閉ざしました。

私達はこの絵について国吉が何も語らなかった事に感謝するべきでしょう。国吉がこの絵を制作した一九四五年という年を考えただけでも、彼の複雑な心情はうかがえますし、これまで述べてきたような国吉の日系人に対してと同時にアメリカに対してもズレていた認識とその結果としての拒絶などを知った私達には、もっともらしい説明は必要ありません。幽気が漂うばかりの絵に向かい合えば、作品が全てを語ってくれます。

同じように木馬を描いた作品でも、岡山県立美術館が所蔵している『祭りは終わった』（カラー図版67）（一九四七）は最初のドローイングから完成まで八年間という時間的経過を経た作品です。この八年間に戦争が始まり、戦争が終わりました。この絵には戦前・戦中・戦後の国吉のそれぞれの時代の思いが込められているはずです。構図は幾度か変更されましたし、残っている写真から推測すれば、色も何度か塗り替えられています。この変更の経過を正確に辿る事はできませんが、その変更は、戦争が与えた影響に違いありません。まるで戦場のように地上に死んだように横たわる人達、意味不明の文字が書かれたビルボード、逆さに突き刺されたような木馬、こんなものが画面一杯に描かれていて、不気味な迫力で語りかけます。この作品について、国吉はグッドリッチの問いかけに簡潔に制作意図を答えています。「祭りは終わった。戦争も終わった。新しい世界を待ち望んだけれど、何もやっては来なかった。」

もう一点、戦争にまつわる国吉の心理的なダメージを強く感じる作品が、国吉康雄美術館の『ここは私の遊び場《カラー図版66》』（一九四七）という作品です。南西部の廃墟の町を遠近法で描き、意味不明の文字の書かれたビルボードや、黒く塗り潰された日章旗、木枠にぶら下がっているような少女などが描かれています。この作品はもともと『世界は私の遊び場』というタイトルがつけられていました。いずれのタイトルにしても、その意味は複雑で錯綜しています。

一九三〇年代に国吉といえば女性像といわれるほどにイメージを確立した女性像は、一九四〇年代に入ってからどんな風に変化したでしょうか。一九四〇年代に入ってから国吉は、カゼインとかガッシュという新しく開発された顔料に手を染めます。これらの画材は、アメリカの壁画運動の副産物とでもいうべきもので、カンバスの代りに石膏板を使って顔料を吸い取らせるという描き方をします。もちろんカンバスに油彩を使うより乾きが速く、フレスコ画的な淡い色の効果や、色を重ねて効果を出す容易さ、筆勢をそのまま表現できるなど、油彩とは違った味わいの画面が得られます。国吉はこの技術の修得にのめり込みました。

『くつろぎ《カラー図版56》』（一九四二）は、そんな試みのあいだに油彩で描いた作品です。女性も一九三〇年代とあまり変わらないポーズですが、背景には国吉愛用の帽子とハンガーが掛かっていてバランスを保っています。しかし、小品であるにもかかわらず、筆遣いはガッシュやカゼインのようで、いささか粗雑に見えます。『制作中《カラー図版58》』（一九四三）と『スージー《カラー図版57》』（一九四

図60　友達　1944年　鉛筆
国吉康雄美術館

三）は、ともにカゼインの作品で、一つは自画像、もう一点はおそらくこの作品のモデルの名前でしょう。『制作中』は文字通り制作中の国吉の姿を描いています。この絵とそっくりの写真が残っているので、おそらく写真を見ながら描いたものだと思われます。『スージー』は一九三〇年代の女性像が〝幻の女〟であったのに対し、一人のモデルの個人像のようです。この作品以外にも、個人名をタイトルにした作品が描かれ始めますが、国吉がどんな理由でポートレートを描き始めたのかはわかりません。これらの作品はいずれも国吉康雄美術館が所蔵しています。

　こうした新しいメディアでの試みをしながらも、国吉は油彩での制作にもっとも力を注いでいた事も事実です。岡山県立美術館の『夜明けが来る』（カラー図版59）（一九四四）は、そうした油彩の一つです。夜明けの日の出を待つように、手すりに肘をついている女性は、ちゃんと服を着ていて一九三〇年代のような姿ではありません。背景の壁と、手前の手すりの間に、しっかりとした量感を持った女性の立ち姿が描かれています。しかし、女性の表情はうつろで、倦怠感が漂っています。とても明るい夜明けを待っているのだとは思えません。

　日米間の戦争をはさんだ十年間、国吉は一九三五年に女性像で一つの頂点をきわめた後に、一九四〇年に静物画でも独自の世界をつくり上げます。そして躁鬱病の進行と戦争が重

『母と娘』(1945年　油彩　The Carnegie Museum of Arts) の前にて (Photo：Alfredo Valente)

なり合い、さらに国吉の視点から言えば、日系人にはソッポを向かれ、アメリカには冷たくあしらわれた十年間であったと言えるでしょう。国吉はそんな中で描き続け、考え続けます。美術界には戦争の終わりとともに、抽象表現主義と呼ばれるアメリカ生まれの新しい波が大きなうねりを持ち始めます。また政治の世界では、保守主義が、共産主義の影に怯えて、ヒステリックに叫び立てるようになります。そんな中で、国吉は自分自身で行く道を開拓しつつ歩みを進めるのですが、その事は次章に述べる事になるでしょう。

図61　跳びあがろうとする頭のない馬　1945年　油彩
大原美術館

図62　二匹の犬のいる風景　1945年　油彩
国吉康雄美術館

図63　少女よお前の命のために走れ　1946年
カゼイン　国吉康雄美術館

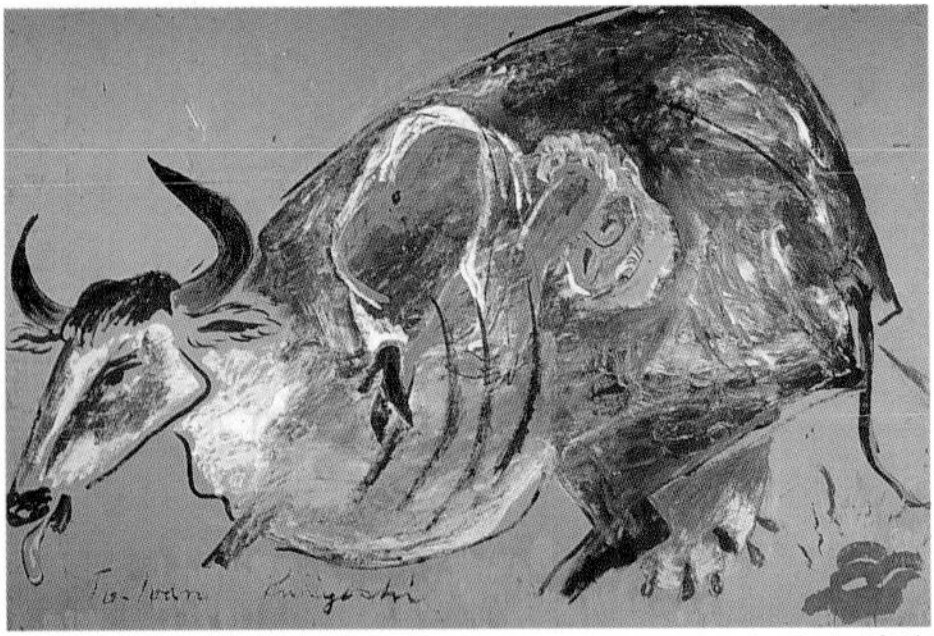

図64　牛と少女　1946年　ガッシュ　岡山県立美術館

図65　恋人たちの道　1946年　油彩　国吉康雄美術館

図66　ここは私の遊び場　1947年　油彩　国吉康雄美術館

図67　祭りは終わった　1947年　油彩　岡山県立美術館

図68　今日はマスクをつけよう
1946-47年　ワックス
国吉康雄美術館

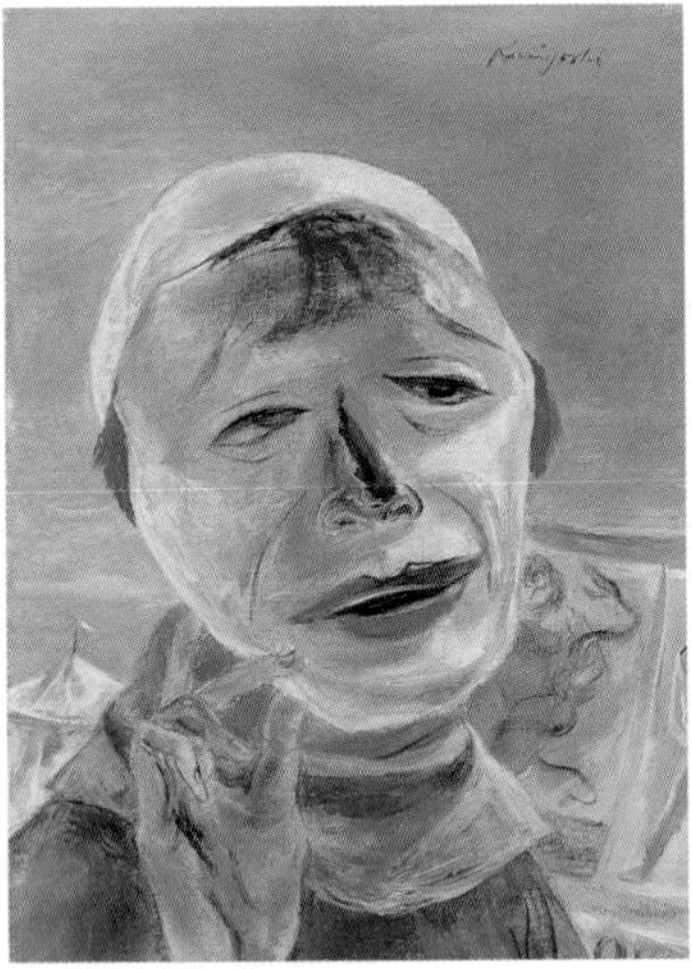

図69　夢　1948年　カゼイン
国吉康雄美術館

図70　安眠を妨げる夢　1948年　カゼイン　国吉康雄美術館

図74　舞踏会へ
1950年　カゼイン
国吉康雄美術館

図73　鯉のぼり　1950年　油彩　国吉康雄美術館

図75　自転車に乗った手品師
1951年　カゼイン他
国吉康雄美術館

図76　通りの向側　1951年　カゼイン　国吉康雄美術館

図77　ミスター・エース　1952年　油彩
国吉康雄美術館

第九章　心情的道化師

アメリカにとって第二次世界大戦がどんな戦争であり、何を目的とし、その結果何を得たか、という問題の回答は、今から振り返ってみれば比較的簡単であったと言えるかもしれません。第二次世界大戦ほどの規模ではなくても、現在進行中のものも含めて、世界では局地戦争が絶え間なく続いています。こうした戦争については、その理由や目的が複雑で、宗教的対立、教条主義、民族主義が入り混じり、またそれゆえ殆どの場合、参戦国の中に戦争反対の動きがある事は、ベトナム戦争などを考えてみればわかると思います。

太平洋戦争に限って言えば、アメリカ国民の感情は明解であったと言えるでしょう。自由と民主主義に対する帝国主義という明らかな図式は、星条旗の下に国民感情を集結させるのに余りある力を持ちました。特に真珠湾攻撃という国際法を無視した日本の行動、という宣伝文句は、アメリカ人の士気高揚に多大な効果を持ちました。政府の巧みな宣伝活動で、挙国一致の世論がつくり出されたと言って良いでしょう。そうした中では、日本の行動を正当化したり、アメリカの応戦に反対したりという活動は生まれる余地はありません。アメリカは正義であり、日本帝国主義を敗戦に追い込んで、圧政の下に苦しんでいる日本国民を解放する、という神聖で崇高な戦争目的が掲げられれば、アメリカ国民がその下に集結し団結したのは当然の成り行きでした。ある意味でとても危険で、市民意識の成熟度からしても不思議とも言えるアメリカの全体主義的行動は、戦争の図式があまりにも簡単であり、明瞭であったから起こったと言えるでしょう。

　こうした世論のもとで全人口の〇・〇五パーセントほどの日系人たちを強制収容する事への抵抗はほとんど無かったと言って良いでしょう。収容された人達の三分の二がアメリカ生まれのアメリカ国民であるという事実も、大義の前にはいかほどの力にもなりませんでした。そんな事よりも、日本軍の中国における残虐で卑劣な行為の報道の方が何倍も威力がありました。同じ戦争で敵国として戦っているドイツ系やイタリア系の人々に対して、アメリカは強制収容など行う意思が無かった、という矛盾に目を向ける人など無かったのです。

　国吉は、日本人でありアメリカ政府の監視下にある敵性外国人の一人でありながら、アメリカの視点に立って、日本攻撃を鼓舞する旗を振り続けました。自由と民主主義のためなら、日系人を強制収容する事も、東京を焼け野原にする事も厭わず、日本の敗戦後には連合軍の日本進駐とともに日本へ乗り込んで、日本の「無知」な人々を教育するという妄想を抱いて、大まじめに手紙も書き猟官運動までもしました。戦争が、知的で理性ある人までも巻き込んで狂わせて行くものである事を私達は歴史から学んでいます。そして、国吉はまさに狂気に近い発言と行動をしていた事を見てきました。

　国吉の妄想はしかし妄想であり、戦争が終わって陶酔から覚めれば、そこにあるのは現実です。「新しい世界を待ち望んだけれど、何もやっては来なかった。」という国吉の短い言葉は、アメリカ人以上にアメリカの為に旗を振り続けた国吉が、気が付いてみれば、アメリカ政府から厚遇されたり、市民権を与えられたわけでもなく、敗戦国民の一人であるだけでなく、非難を浴びせた日系人や日本人からも裏切り者呼ばわりされるという事態を招いただけでした。戦争が終わってみれば、自由と民主主義も、国吉のためには、何の助けにもなっていなかったのです。

当然、国吉自身はこの事を一番重く、そして自分自身の問題として受け止めています。公式な態度表明として、国吉ははっきりと親アメリカ反日本の態度をとり、そうした自分の態度をより鮮明にするために、日本人や日系人に対して、言わずもがなの発言を繰り返しました。しかし非公式に、プライベートには、国吉は日本人にも日系人にも親切で思いやりを持って接していた事も書いておかなければなりません。一九四六年八月三十一日にウッドストックで国吉が催した『収穫祭ダンスパーティー』は「ザ・グレーター・ニューヨーク・コミュニティ・フォァ・ジャパニーズ・アメリカンズ」（日系人のためのグレーターニューヨーク委員会）のために主催したもので、その収益金一千四百ドルは、日系人強制収容所から出所した人々の経済的援助のために委員会に寄付されました。そのパーティーを盛り上げるために国吉が即興で描いた『牛と少女』カラー図版64という作品が岡山県立美術館にあります。作品自体をとりたてて言うつもりではなく、こうした国吉の姿もあったのだという事実を覚えておいて良いと思います。

また、国吉は一九三一年に帰国した時以来、岡山に住んでいる義妹の田川豊子さんと文通を続け、自分の住んでいるニューヨーク市の絵葉書や、ウッドストックの庭の花の写真などを送ってきていましたが、戦後は、本当にこまめにさまざまな品物を小包にして送っています。添えられている手紙にもそれはこまやかな心遣いで、戦後生活の苦しさを思いやる気持ちが溢れています。こうした国吉からの手紙や小包の荷札などは岡山県立美術館に収められています。また、日本訪問の時に知り合った画家の仲田好江氏とも文通を再開して、慣れない日本語の手紙を二十数通残しています。この手紙は、仲田好江氏の御遺族から芦屋市立美術博物館に寄贈された遺品に含まれておりましたが、御遺族と美術博物館の御協力で国吉康雄美術館が譲渡を受け、遠からず一般公開する事になっています。

国吉のとった行動の是非について問う事は無意味です。それは既に歴史の中で行われてしまった事なのですし、私達が現在という時点からそれについて論じてみても成果は何もありません。しかし、何故国吉が、これまでに見て来たような発言と行動を行ったかを、客観的に諸条件の中に求めてみるのはとても意味のあることだと思われます。ここでいう諸条件とは、国吉が何度も何度も自分自身について語る時に繰り返して使う言葉である自分は「アメリカ人」の「アーティスト」であるという自己確認についての再吟味です。

ずっと前の章で、私はユダヤ人社会とアメリカについて述べましたし、国吉を取り巻く友人達の大半がユダヤ系アメリカ人である事も書きました。その事を思い出してみて欲しいと思います。国吉はアメリカ人意識を持って生きてきましたが、国吉のアメリカ人意識のほとんどは、仲間のユダヤ系アメリカ人から得たものであり、国吉自身のアメリカ人意識は、とりもなおさずユダヤ系アメリカ人意識と言って良いものでした。第二次世界大戦のヨーロッパの最大の悲劇はユダヤ人の殺戮です。ユダヤ人の血が流れているという理由だけで強制収容所に入れられ殺戮されたのです。アメリカに逃れてきていたユダヤ人達にとって、この事実は、アメリカに対する信頼と、ドイツ及びその同盟国であるイタリアと日本に対する憎しみで一杯になっていた事は十分に想像できるでしょう。アメリカに住んでいるユダヤ人アーティスト達のドイツに対する怒りは激越なものでした。この人達の活動や言動についてここで述べる暇はありませんが、国吉の思考は、人種こそ違え、国籍こそ違っても、同じ次元のものでした。かれの思考と行動はユダヤ系アメリカ人アーティストのものであったと言って良いのです。

ユダヤ人は第二次世界大戦中依然として流浪の民でした。アメリカを最後の居住地とした人達にも、まだ流浪の意識はありました。どこにも属さない人々がとるべき生きる道は、できうる限り教育と技術を身につけるか、アーティストとして生きる事です。事実、ユダヤ人の多くはアーティストとして生計を立て、またアーティストとは呼ばれなくても、自由と民主主義が保証されれば身体一つで生計を立てられるような職業、どこか生き延びられる場所に行き着きさえすれば出来るような職業につく人が多かったのです。何時、どのような事情で住む所を失うかもしれない恐怖とともに二千年も生きて来た民族の知恵です。

アメリカに移住して来たユダヤ人達の多くも同じ考え方を持っていました。アメリカに受け入れられ、市民権を得ても、祖国を持たない人々の悲惨な状況は、ドイツ軍に強制収容されガス室に送り込まれたユダヤ人達を目の前にしたとき現実の不安となります。その人達を解放した連合国、特にアメリカに対して、限りない愛国心を持ったのは当然です。国吉の仲間達は、アメリカに誇りを持ち、感謝し、その事を自分達の芸術を通して表現しました。そんな中で、国吉だけはアメリカ市民権が無いだけでなく、敵性外国人であったわけです。国吉は仲間達と同じように喜んだり、叫んだり、アメリカに感謝をしたいと思いました。国吉はその行動をアメリカ人として、すなわちユダヤ系アメリカ人の思考と行動のパターンにのっとって行いました。

国吉が戦時情報局のために制作したポスターの下絵は、その構図のほとんどがアメリカと戦っている日本ではなく、この戦争の前から始まっていた日本の中国侵略で関東軍が行った中国人虐殺のシーンであったり、鎧甲に身を固めた武士が刀で切った首を掲げているといったものでした。日本人の残忍さを示す事で、太平洋戦争を戦っているアメリカ人の士気が高められると考えた国吉のデザインは却下されました。国吉がこのような構図を選択した理由の一つに、ナチス・ドイツの目を覆いたくなるようなユダヤ人迫害の証言や報道がありました。日本から脱出してアメリカに逃れてくる人はなくても、アメリカにはヨーロッパの戦火をかいくぐってアメリカに辿り着いたユダヤ人達が溢れていたのです。国吉はそうした人々の話を友人達から聞いたり、何人ものヨーロッパで名を成していた画家達のアメリカ移住の手助けをしながら、直接体験談を聞きました。こうして国吉の中では、枢軸国に共通の非人間性や残忍さが憎むべき対象となりました。アメリカの士気の高揚のためという戦時情報局のポスターの制作依頼に対して国吉が制作したものは、日本の残虐行為の視覚化であったのは、国吉が意識していたアメリカがユダヤ系アメリカ人のアメリカという限定されたものであったからです。

同じ事は、国吉が戦時情報局のために書いた日本向け短波放送の原稿にもあらわれています。残っている二種類の原稿を読めば、国吉が話しかけているのは、日本国民全員に対してではなく、限られた有識者達へのメッセージである事がわかります。そして国吉はその人達に向かって、日本からの脱出を前提としたような語りかけを行っています。これはヨーロッパのアンダーグラウンド放送を想定した呼びかけと理解した方が良いと思います。国吉のまわりには、陸続きのヨーロッパ各地から連合国の領土へ、そしてアメリカに脱出してきたユダヤ人アーティストが大勢いましたし、国吉には日本からの脱出も可能だと思えたのです。実際には、日本には脱出のための組織も無ければ、単独で日本からの脱出を試みた人もありませんでした。日本国民は単一民族であり、ヨーロッパにおけるような民族的迫害はありませんでした。有識者達はユダヤ人でも流浪の民でもなく日本国民だったのです。

国吉の放送が日本に届いたと仮定して、またそれを聴いた日本の有識者達が沢山いたとしても、国吉の意図は十分に理解されなかったでしょう。国吉がいくら自由と民主主義を賛美し、全体主義的国家体制を批判しても、日本の知識人にはユダヤ人のように死に追いやられるという危機感がなかったからです。国吉の語るのを耳にしても、おそらく日本の知識人は行動をとろうとはしなかったでしょう。国吉の放送はユダヤ系アメリカ人の発想による内容でしかなかったのです。

さて、もう一つの国吉の自己確認のキーワードである「アーティスト」について考えてみましょう。私は、国吉の「アーティスト」という意識に触れるたびに文化人類学でいうトリックスターの概念に思いを馳せます。これは広い意味でアーティストという職業に携わる人が避けられない宿命的な思考と行動のフレームの限界ともいうべき概念です。トリックスターとは、善と悪とか、醜さと美しさとか、賢さと愚かさといったような、相反する二つの性格を同時に持っているパーソナリティーを指す言葉で、そうした人格を指して使われると同時に、職業の「社会的な役割」の概念としても用いられる言葉です。そしてアーティストという職業の社会的役割は、このトリックスターの要素が分かち難く結びついているのです。

国吉とリーグの同僚の教師たち

もう少し、「社会的役割」としてのトリックスターを詳しく考察してみましょう。古代の事はさておくとして、中世という時代は、ヨーロッパでも日本でも宮廷文化の時代とされています。その宮廷文化には、宮廷画家、宮廷音楽家、宮廷戯作家などが、権力者の暇な時の遊び相手として、あるいは消耗品として存在していました。日本でいえば、阿彌号を持つ人達や、法印、法橋といった称号を与えられた芸能者、画家達とそれを取り巻く人達がトリックスターに当たります。こうした人達は、一般人ではなく、また貴族や権力者でもなく、その社会的役割の両義性のゆえにトリックスターなのでした。

時代が下るにつけトリックスターの在り方は複雑に分化して行きます。典型的なトリックスターがなくなるかわりに、色々なトリックスターが出現するようになります。画家を例にとってみれば、アカデミー会員は権力に密着して芸術の権威を代表するようになり、町の風俗画家は大衆性を追求して受け入れられる道を模索し、装飾画家は流行に敏感に反応して作品を提供し、絵画教師は次代を育てる事を使命として収入の安定をはかる、といった具合です。画家という名の職業には、さまざまな受け手が存在し、つくり出される作品を仲介にしてそれぞれの時代に応じて姿を変え、相手を変えて存在し続けてきました。

創作活動において個を大切に考えるようになり、その象徴として作品に制作者のサインが書き込まれるようになった近代、現代にいたっても、トリックスターはさまざまに姿を変えて存続しています。つまり巨大で単独の権力が崩壊すればするほどトリックスターの在り方は複雑に分岐して行って、典型的なトリックスターというものが姿を消してしまいますが、それでもなお、人間国宝から大道芸人にいたるまで、日展の会員からコミック雑誌の下絵画家まで、アーティストが存在する限り、その人達のトリックスターとしての両義性は消えません。絵を描いて生計を立てるという画家の生活も、そのままトリックスターとしての「社会的役割」を負うという事なのです。

国吉について考える時に、トリックスターとしての「社会的役割」を考慮しておく事も大切だと思います。それは国吉に対して客観的でありたいと思うからです。国吉は、あたかも自分だけが「特別」な人間である事が当然であるような発言を強制収容された西海岸の日系人達に対して繰り返したのですが、それは、国吉のトリックスターとしての「社会的役割」がさせた部分があるという事です。繰り返しますが、国吉の個性がそうさせたのではなく「社会的役割」がそうさせたのです。

私はこんな事を書いて国吉を弁護したり美化したりしようとしているのではありません。強いて言えば、私は国吉が本物のアーティストであり、アーティストであり続けるためには、国吉にもアーティストとしての「社会的役割」が与えられていて、国吉はその役割をまっとうに果たした、という事を言いたいのです。しかし時代は現代であり、アメリカは平等を建て前とする社会で、アーティストも特別な人間である以前に、まず国民でなければなりませんでした。そして戦争という事実の前では、アメリカ政府は国吉を敵性外国人以外の何者でもない人間として扱いました。国吉は、アメリカがアーティスト=トリックスターとしての自分を特別に扱ってくれる事を望んでいた事は明らかです。身分の保全以上に、国吉は、アメリカ政府が正式に自分をアメリカ人として扱う事を望んでいたのです。戦時情報局への短波放送や宣伝ポスターへのボランティア、大統領、国防長官、陸軍省などへの機会あるごとの手紙によるアメリカ人としての立場からの協力表明など、アーティスト=トリックスターとしての国吉がよく示されています。

こうしたアメリカ政府機関や要人への手紙の中で、国吉は日本人と日系一世達を「無知で頑迷な」人々と決めつけ、このような日本人に民主主義を教え込むのは「困難な仕事」だとも書いていています。そして可能性があるのはごく少数の「知識人とアーティスト達」であるとも述べています。同じように短波放送の原稿でも語りかけている対象は、ごく一部の日本の有識者や文化人、芸術家だと自ら限定して話しているのです。こうした発言は、個人としての国吉ではなく、アーティスト＝トリックスターとしての国吉の発言なのです。

しかしアメリカ政府は、自国にトリックスターを抱えるほど巨大で絶対的な権力ではありませんでした。国家の形態そのものが、トリックスターを養う余地を持っていなかったのです。日本のように芸術院もなければ、文化勲章もありません。美術館の多くは私立ですし、国立の美術学校も無いのです。アーティスト＝トリックスターは、少なくともアメリカでは、国の権威を背景にしたり、国の力を利用して自らを「特別」な立場に置く事はできないのです。国吉がアメリカが生んだ偉大な画家であった事を誰も否定はできません。しかし同時に、どれほど彼が望んでも、当時発効していた法律を変えたり、例外的に扱う事は最初から出来ない事であり、いかに国吉が偉大であっても敵性外国人である事にかわりはなかったのです。国吉はアメリカという国家に対して幻想を抱き、その幻想に基づいて行動し、発言し、そして現実に直面したのでした。

戦争についての現実を重く受け止めた国吉は、当然自分のトリックスター性についても思いを馳せます。トリックスターという概念を彼がはっきりと意識していたかどうかは別として、彼は自分自身を道化師になぞらえる事によって適確にその本質に到達しています。なぜなら道化師こそが宮廷文化におけるトリックスターの典型に他ならないからです。白塗りの顔にさらに仮面をつけた国吉の描く道化師は、誇りや名誉とは無関係な、人の笑いと慰めのために可笑しみを演じる人間の悲哀の典型として描かれ、さらに道化師の舞台裏での姿を表現する事によってなお屈折したものとなっています。

『今日はマスクをつけよう』カラー図版68（一九四六―四七）『舞踏会へ』カラー図版74（一九五〇）『鯉のぼり』（一九五〇）『ミスター・エース』カラー図版77（一九五二）といった、国吉康雄美術館が誇る国吉の晩年作品は、いずれも今まで書いてきたような、心情的ポートレートとして理解する事ができる作品です。しかし、国吉は自分の事を道化師だと考えていた、などと結論付けていただくと、とんでもない間違いになります。国吉の心情は、そんなに簡単なものではなく、また国吉個人

図71　仮面　1948年　石版リトグラフ　両備文化振興財団

図72　カーニバル　1949年　石版リトグラフ　両備文化振興財団

パーティーの余興のために描いた作品と国吉（1951年頃）

が一人で考えた事ではなく、もっと多くのアーティスト達と語り合ったり、議論をしてきた中で、次第につくり上げてきた、自分達アーティストの社会的役割の両義性についての確認から生まれたものです。道化師という主題は、欧米では多くの画家が描いている主題です。誰のどの作品という限定をせずに、道化師を描いた作品に出会ったら、少し時間をかけて、アーティストと制作された年と、その時のアーティストが置かれていた立場とを調べてみて下さい。きっとそこには、国吉の場合に見たような、アーティストの社会的役割に関する両義性を示すような事実があるはずです。多くのアーティストは、個人としての自分と、職業としてのアーティストの社会的役割としてのトリックスター性の落差に気付いた時、自己の投影像として道化師に行き当たります。この事は、国吉の特殊な戦争体験からのみ生まれてきたものではなく、アーティストという職業と不可分なものだという事を、折があれば是非自分で確認して頂きたいと思います。

戦中・戦後の国吉の思考と行動は、これまで述べてきたように、極端に走り、またそのリアクションは終生彼につきまとったわけですが、アメリカの美術界には、国吉のアーティストとしての活動を、公平に冷静に見守り続けている人々がありました。この人達の目には、国吉康雄の画業は、アメリカ現代美術の中で不滅の光りを放っている創造性の高い、メード・

イン・アメリカの誇るべき業績であると映りました。そして、戦中・戦後の困難な時期を、アメリカ人として、アーティストとして、現実から逃避する事なく、真正面から取り組んで自分の道を切り開いた偉大な人物であると評価しました。一九一〇年代から始まったに過ぎない現代アメリカ美術の潮流の中から、決定的な評価を下せるほどに自己を確立したアーティストは多くありません。その中で現在も旺盛な制作活動を継続しているアメリカ第一のアーティストは国吉康雄であるという結論に達したのです。

こうした判断を下したのは、ホイットニー美術館の理事会でした。展覧会企画の中で、アメリカ美術界の巨匠の回顧展は数年に一度の大きな企画で、それまでの展覧会はいずれもアーティストの没後に、ある程度評価

ホイットニー美術館，1948年回顧展会場

回顧展開催祝賀パーティー

が定まった人を対象に行われていました。国吉は現役の画家であるだけでなく、アメリカ国籍を持っていない外国人アーティストでした。しかし理事会は、躊躇することなく規約の変更を行い、国吉康雄回顧展の開催を決定しました。アメリカ政府は認めてくれなくても、アメリカ美術界は、国吉を「特別」な人として扱うのにやぶさかではありませんでした。

国吉康雄回顧展の担当者はロイド・グッドリッチで、国吉とはリーグの同級生であり、国吉のアメリカ人の友人の中でも最も古い付き合いのある親友だった事はこの本のはじめに書きました。画家になる事を早くに断念して、美術評論と美術館運営に一生を捧げたグッドリッチの業績は、忘れられ勝ちですが、グッドリッチほどアメリカ美術に対して公平で厳正な評価をした美術館関係者は無いという事も忘れてはなりません。ホイットニー美術館が、どれほど抽象表現主義以降のアメリカ美術の最先端を紹介する重要な展覧会を開催し、アメリカ美術の普及につとめたかは、よく知られている事ですが、そうした一九五〇年代から一九七〇年代にいたるホイットニー美術館の果たした役割の最高責任者の一人がグッドリッチだったのです。

回顧展開催を祝し，ビル・ベアード（人形遣い）作の牛が国吉に贈呈される

グッドリッチの国吉回顧展への情熱についても先に

述べましたし、彼が残してくれた国吉の評伝と収集した資料の価値もあらためて書く事もありません。彼は卓越した美術館の運営者であり、学者であり、そして何にもましてジェントルマンでした。小柄でがっしりとした体格をして、いつも身だしなみが良く、言葉を十分に選びながら話すグッドリッチは、アメリカの良質な部分を支えている人達が持っている暖かさを充満させた紳士でした。私は、この人によって国吉の業績がまっとうにアメリカで紹介された事を、本当に嬉しく思います。

ホイットニー美術館スタッフの献身的な努力によって、国吉康雄回顧展は大成功でした。館の思い切った企画と実行力によって、きわめて不安定な立場、すなわち、敵性外国人であり、反日活動家であり、アメリカ国民でもなかった国吉康雄のイメージは、アメリカで画業を積み、アメリカ美術界をリードし、自由と民主主義のために太平洋戦争で兵器を持たずに戦った英雄として理解されるようになりました。今まで国吉の作品を見た事のない人々は、オリジナリティー溢れる作品群を前にして、アメリカ美術界が素晴らしい才能を育て上げた事を知りました。国吉回顧展は、アメリカの誇るアーティスト国吉康雄の認知を決定的なものにしたのです。マスコミはこぞって国吉の業績を称え、その個性を解説しました。アメリカは、国籍という一点を除いては、国吉を完全に自国のアーティストとして受け入れたのです。国吉はこの事を率直に喜びました。彼が戦時中主張しつづけた立場がついに受け入れられたからです。

第十章　西洋から東洋へ

国吉にとって一九四八年という年は、さまざまな事で大きな転換の年になりました。戦後三年目で、アメリカの対日感情が決して良くなったとは言えない中で、国吉は『ルック』誌の現代アメリカ画家十一人の一人に選出されました。ホイットニー美術館の国吉回顧展は、先に述べた通り、この年のニューヨークの美術界で最も話題になった展覧会でした。国籍上は決して消える事のなかった日本人というハンディキャップを乗り越えて得た名誉は、アメリカ人が国吉をアメリカ人として受け入れ、画家としての活動に与えてくれたものであったのです。

この年は、国吉の名誉の年であっただけではなく、国吉のまわりにいたアメリカ人達にとっても喜ばしい年でした。ついに二千年の悲願がかなって、ユダヤ人の国イスラエルが誕生したのです。ほんのささやかな国土ではあっても、ユダヤ人達は自分達の祖国と呼べる国を持つ事ができるようになりました。世界中に散らばって、その国々の国籍を得て、何世代も過ごしているユダヤ人も、第二次世界大戦の戦火をかいくぐって、長い苦難の旅の末にようやくアメリカに辿り着いた亡命ユダヤ人も、アウシュビッツの強制収容所から、連合軍の手で助け出され九死に一生を得てほっとしていた難民ユダヤ人も、全世界のユダヤ人達が祖国を持った事に大きな喜びを感じました。

国吉の友人達の多くがユダヤ人であった事はこれまでに何度も書きましたし、国吉の考え方にも、ユダヤ系アメリカ人に重なり合うものが多い事も繰り返しました。こうした国吉の友人達はもちろんイスラエルの建国を喜びましたが、だからといってイスラエルに移住した人は一人もいませんでした。イスラエルはあくまでも心の祖国であり、国家建設のために国債を買ったり、募金に応じたりしても、生活する場所はアメリカであり、市民権もアメリカ人のままでした。この人達にとってイスラエルは、民族的、宗教的に拠り所にはなっても、生きて行く上で最も大切なのはアメリカ合衆国であり、アメリカの精神的風土であったのです。

国吉にとっても、日本はこうした人々のイスラエルに似た場所であったと言えるでしょう。民族的には日本人であっても、自分が立っている場所、精神的風土はアメリカ合衆国であり、日本は行く必要もなければ、暮らす必要もない場所だったのです。国吉が受けた名誉はアメリカ人としてのものであり、日本人だから得られたというものではありませんでした。

国吉は回顧展の後、それまで積み上げて来た技術的なものや制作方法をがらりと変化させます。国吉が自分の作品を変化させて行った理由は、外からの刺激による部分もありますが、それ以上に、自分の内的な芸術的衝動に起因するものの方が多かったと思われます。ホイットニー美術館での回顧展の準備のため、国吉は自分の作品を系統立てて、しっかりと見直す機会を持ちました。初期の作品の中でも、ダニエル画廊から引き上げてストレッチャーから外して巻いておいた作品なども広げて見る事ができました。そして、自分なりに一九二五年頃までの自作の再吟味をしてみました。そして見た初期作品に、国吉は視点を変えたさまざまな可能性を見付け出します。それは夢に対する再考・再解釈でした。

　国吉は、一九二〇年代のはじめに、夢に託していくつもの作品を描きました。ブリヂストン美術館所蔵の『夢』（一九二二年、油彩）、テキサス州フォートワース市にあるエイモン・カーター美術館所蔵の『夢』（一九二二年、インク）、オグンクィット美術館所蔵の『悪夢』（一九二四年、インク）、ホイットニー美術館所蔵の『眠れる美女』（一九二四年、インク）、東京都所蔵の『幸福の島』（一九二四年、油彩）といった作品群が、何れも夢をテーマにして描かれています。こうした作品は、当時のアメリカではフロイトの深層心理が話題になっていた事もあって、国吉の性的関心の表現として有名になりました。また評論家達は、シャガールとの対比で取り上げたりする事もありました。

　国吉は、一九四八年に夢にテーマを求めた作品を再び描いています。国吉康雄美術館所蔵の『夢』《カラー図版69》と『安眠を妨げる夢』《カラー図版70》の二作品がそれに当たります。二点ともカゼインによる作品で、明るいトーンで、青、赤、黄が原色に近い色で使われながら、何度も塗り重ねられたカゼインによって、微妙なハーフトーンが作り出されています。二作品とも描いているのはサーカスのシーンです。国吉がこの頃にサーカスを見に行ってスケッチをしたという記録はありません。国吉とサーカスの関係は、一九二五年にフランスに渡った時、そこでサーカスをテーマにした作品を実際に見に行って描いた事はわかっていますが、あとは一九一〇年から一九一六年までのニューヨーク到着直後の空白の時代に、コニーアイランドでサーカスや見世物の看板を描いていたらしいという話が残っているだけです。

残っているドローイングからも、国吉は夢をテーマにした作品制作にはモデルを使わなかったのではないかと思われます。その代わりに、自分の記憶を中心に制作したのでしょう。それは制作方法においても初期作品に立ち返ったという事に他なりません。『安眠を妨げる夢』は空中ブランコのシーンであり、まさに一人が受け手の方に飛び移ろうとしている一瞬を描いています。しかし、この飛び移りは失敗するであろう事は、演じている人のバランスからも、二人の距離からも容易に想像できます。次の瞬間に、飛んだ人が地上に叩き付けられるのは確実です。背景の処理は、位置関係がさだかでなく、足の方は空中に消えてしまっていたりして、すこぶる不完全な構図なのですが、それだからこそ夢でもあるのでしょう。

『夢』は前景に道化師、その後には曲芸師が二人、そして背景には剣を飲み込もうとしている男の姿を描いた看板が描かれています。使われている色は『安眠を妨げる夢』とほぼ同じで、カゼインの特色をうまく引き出しています。テントの外で練習をしているようで、曲芸師のバランスが少し崩れていて『安眠を妨げる夢』のような予感を持たせますが、それ以外に取り立てて夢を強調するような要素は見当たりません。

国吉のサーカスを主題とした晩年の作品群の中で、道化師に自画像的要素が多分にある事は前章で述べましたが、もう一つの背景にあらわれる看板にも注目しておきましょう。国吉康雄美術館の『今日はマスクをつけよう』の背景には蛇使いの女性、『夢』には剣を飲み込む男、そして『ミスター・エース』には肥満女性の看板がそれぞれ描かれています。こうした看板は、実はサーカス本体のものではありません。アメリカやヨーロッパのサーカスは、華麗で高度な演技をする本興業にくっついて、サイドショーとよばれる見世物的な小屋がずらりと並んでいます。これは、サーカスを見にきた人達が好奇心から別料金を払って覗いてくれる事を期待して、いわばおこぼれを頂いて興行している別の組織なのです。

ヨーロッパのサーカスは長い歴史を持っています。そして時代の変化と共に姿を変えながら観客を集め続けているのですが、その核になっているのはパフォーミングアーツのエッセンスともいうべき演技です。ヨーロッパのサーカスはリングは一つで、音楽・照明・美術が揃い、老若男女が集まった中での演技が繰り広げられます。これは、社会が成熟するとともに、自らが移動する事をやめて、都市に集まる人々を対象にして常設の小屋を持ち、さらに専門とする分野を細分化させていった演劇史の中に占めるサーカスの要素が、そっくりそのまま原型で残っているのです。

サーカスの歴史や、歴史的意義についての研究は数多くあります。特に欧米では、正面から取り上げてその文化史的意味の重要性について論考している本も沢山出版されています。これ以上サーカスについての文化史的な事は、こうした研究に譲り、ヨーロッパのサーカスが日本のサーカスとは歴史的背景がまったく違うのだという事を知った上で、もう一度国吉の絵に戻りましょう。そうすると晩年の道化師の絵には、違った意味が込められているのがわかります。それは、見世物と演劇とのはざまの葛藤とも言うべきもので、二つのパフォーマンスの形態（ジャンル）が背中合わせに興行をしているサーカスという特殊な総合芸術形芸術家を自認する道化師と、対極的位置を占める見世物芸人が同居するサーカスの持つアンバランスな状態の志向する方向と意識の隔離を示しているという事です。もっと平易に言えば、芸術家を自認する道化師と、対極的位置を占める見世物芸人が同居するサーカスの持つアンバランスが、こうした国吉の絵には描かれているという事です。

国吉は単に道化師の姿を描きたかったのではありません。強大な権力と富を持ったパトロンを最初から持つ事のなかったアメリカという新興国家が、さらに中産階級層を大量に生み出した結果、ポピュラリティーを拠り所にして生きなければならなくなった芸術家の在り方を、逆にポピュラリティーだけを頼りに生きて来た芸人に対比して描いているのだと言ってもいいでしょう。それは大衆に受けるパフォーマンスを演じる画家達に対して、国吉が抱いていた気持ちを表現しているのかもしれません。

なぜ国吉が、同僚画家達に少し距離を置いたような見方をしていたのか、という事には理由があります。それは戦後のアメリカ美術界に急速に広がって来た抽象表現主義の潮流について少し知識を持たないとわかりません。国吉のモダニズムは、具象的表現、すなわち形あるものを対象として描きながら、さまざまにアーティストが考える事、つまり形而上学的部分を取り込むという方向で進んで来ました。それに対して抽象表現主義は、これとは全く次元を異にした考え方を出発点にして、戦後急速に広く受け入れられてきたのです。

具象に対する抽象という概念は、それまでに何度もあらわれては消えていったもので、国吉の同時代人、例えばマックス・ウェーバーなどは抽象と具象の間を行ったり来たりしながら、自分の美学を形成して来ました。しかし、抽象表現主義という新しい潮流は、構築性や

『我が運命は汝の手中にあり』
（1950年　油彩）制作中
（Photo：Roy B. Craven, Jr.）

計画性とは別の次元の創造力、すなわち即興性を重視したものでした。

　抽象表現主義という流れに属する画家は沢山いますし、一人一人それぞれ違った主張もあるので、ここでは、アクションペインティングの名で有名になったジャクソン・ポロックについて見てみる事にしましょう。ポロックには形に対するこだわりはありません。最初から対象物など無いのです。そこにあるのはカンバスかそれに代わるものと顔料、そして人間です。そして描くという行為＝アクションが人間の衝動によって行われる時に、作品が生まれて来るのです。たっぷりと顔料を含ませた筆から滴り落ちるしずくも、さっと一振りした時に飛び散るしぶきも、作品の一部です。作者がやめようと思ったところで作品は完成しますし、同じカンバスに何度も同じ事を繰り返しても、作者が完成だと思わない限り未完のままです。こうした一回限りの、即興的な、考えようによっては極めていい加減な部分を持った作品制作が、ジャクソン・ポロックという天才の出現によって、もてはやされるようになりました。

　しかし、ポロックがいい加減な画家でなかった事は、彼の作品が、圧倒的な力を持って見る人に迫った事で証明されます。巨大な板に描かれたものは、文字通りアクションの所産として、彼の行動の何倍ものエネルギーを発して前に立つ人々を圧倒します。そしてまた、ポロックを真似て、同じようなプロセスを経て制作した人々の作品が、どれ一つを取ってみてもポロックを超えることがなかった事からも、彼が言葉で説明のつかない才能を持った人であった事がわかります。

アクションペインティングと呼ばれたポロックの作品を中心とする、従来の考え方とは違う次元から出発した美術の潮流は、一九五〇年代に入ると大きな力になります。そして、この大きな流れは抽象表現主義と呼ばれます。簡単に言えば、音楽を楽譜通りに演奏するのに対して、インプロヴィゼーションを中心に演奏するフリージャズのようなものと考えてみればいいでしょう。フリージャズを音楽だと認めない人がいるように、抽象表現主義の絵画を絵と認めない人がいてもおかしくはありません。戦後まもなくのアメリカ美術界には、この抽象表現主義をめぐる論争が起こりつつあったのです。国吉は、この論争に積極的に加わりませんでした。じっと推移を見守っていたと言っていいでしょう。

国吉が戦後アメリカ美術界に起こっていた事を当事者の一人としてどのように考えていたかは興味のある事です。それは国吉の画風の変化とも無関係ではありませんし、国吉の美学にとっても大切な事だからです。国吉は、戦後、特に一九四八年以後に講演をよく頼まれました。アメリカ美術界の第一人者であり、アーティスト・エクイティー・アソシエーションの会長であり、アート・スチューデンツ・リーグの看板教授でもある国吉が、現代美術をどのように考えているのか、という興味は多くの人をひきつける力があったのです。

現代アメリカ美術の動向に関する国吉のスピーチ原稿はいくつか残っています。また極めてリラックスした雰囲気の中で行われた質疑応答の録音テープも残っていて、元気のいい国吉の肉声を聞く事もできます。そうした資料の中から一九五二年二月二十七日にフロリダ州ベルエア市にあるフロリダ・ガルフ・コースト・アート・センターで行った講演『美術へのアプローチ』の速記録から、国吉の考え方を探ってみましょう。

国吉は画家という立場から、絵を好奇心からとか、各個人の美の尺度から見るのではなく「喜びとか生活の延長として絵を見ること、つまり内的そして外的な世界の視覚的な啓示、現実、より洗練された、想像できるあるいは想像できないものを、形、色、線の自由な探究として見る」のがより鑑賞の喜びを発展させるのだと述べています。つまり絵を仲介として、画家と鑑賞者が同じ言語、つまり「形、色、線」で話し合える場をつくる事が大切だというわけです。

そして国吉は、最近の美術界の動きを「それらのいくつかは、平凡なおきまりの方法や慣習の中では、不可能であったであろうと思われる新しい視覚的な経験への冒険」であると評価しています。国吉にとって新しい潮流がもたらしているもののうち幾つかは好ましいものに見えたわけです。しかし、ここで国吉は少し予言めいた事を言っています。国吉はアクションペインティングを含む新しい潮流を実験と呼んでいるのですが、「少し時が経てば、私達はこうした実験の少なからぬものは、私達を何処へも導くことはない事を知るでしょう」と言い切っています。そして特にこうした実験が人間生活とかけ離れたものになればなるほど発展の余地はなく、またさらなる探究も不必要になる、つまり袋小路に入り込んでしまうというのです。

私達は、この国吉の予言が当たった事を知っています。この講演が行われた頃の抽象表現主義の勢力はすさまじいものでしたが、それはジャクソン・ポロックの一九五六年の突然の死に象徴されるように勢力を失って行き、一九六〇年代のポップアートの出現とともに力を失って行った歴史を振り返れば、国吉の言った通りになった事を検証できます。国吉は、こうした見通しを持っていたわけですが、国吉自身もその顚末を見届けたわけではありません。ただ予言をしただけです。

予言をするには国吉には何かの根拠があったに違いありません。彼の考え方を知るキーワードは、「生活」であろうと思います。このあいまいな言葉を国吉はどんな意味で使ったのかは、次の言葉を聞けば少しはっきりすると思います。

「私達の生活が五十年前と違っていることは誰も否定できません。私達が動くにつれて、私達の表現は変化します。私達は今に生き、私達の美術は私達の生活に関連しています。しかし情況と環境は、私達の基本的な信条や常に持っている愛と憎悪といった基本的な真実に付随しています。破壊と再生といった宇宙を動かしている力は、ある意味でごく普通の事であり、植物、昆虫そして全ての人間が経験している事なのです。

感情、直感、そしてイマジネーションといった美術のエッセンスは、全ての場所の全ての人の一部なのです。美術の根源は、私達の普通の人間性の中にあるのです。偉大な美術

『驚くべき手品師』（1952年　油彩 Des Moines Art Center）制作中（Photo：Adrian Siegel）

は、空から降って来るようなものではなく、そのルーツは人間性なのです。」

国吉の言う生活とは文字通り、人間が生きるという事であり、生きるという事は、全ての動植物にも与えられている事ですが、その中でも人間が人間として生きるという事、すなわち人間性が美術の根源だというわけです。もちろん、国吉が美術と言っているのは人間の創造活動を指しているのですから、彼の美術の概念は定義付けとしてはもっとも広い範囲を指している、という事になります。つまり、人間の行う美的創造活動全てを美術のルーツだとするわけです。

そして人間のつくり出し、また鑑賞する美術は、どういう目的を持っているのか、何を目指しているのかについては、次のように述べるのです。

「創造的なイメージは、私達が住んでいる時代に関係し、そしてまたしばしば、美術は、新しい視角と、私達の時代の〝発見〟という認識と同時に起こるものであります。しかしながら、私達はまだ自分達の好みと流行の迅速な動きによって間違った方向に導かれてしまう事もあります。波に乗り遅れないようにしようという焦りのために、私達は虚像と本当の不変の価値とを混同してしまいます。一時的な熱気や高まりは無視できませんが、しかしもし、私達が永遠の美術を持とうとすれば、それは全ての文化の最終目標であり、私達は、人類の理想像を表現することを試みなければなりませんし、そして美術のユニヴァーサリティーに向かって到達を目指さなければなりません。」

国吉の言葉をこうして引用すれば、随分とまどろっこしく、また考えようによっては、ごく当たり前のそれまで繰り返されてきた芸術論に過ぎないではないか、と思われるかもしれません。確かに国吉は、この講演を行った当時、きわめて慎重に言葉を選んでいて、長老が、大所高所から全体を見渡して当たり障りのない意見を述べたという風にとれない事もありません。

当時のアメリカは世界最強の軍事力と、自由と民主主義のイデオロギーで世界の頂点に立ったという自意識で溢れていました。人類の救世主としての自負も持っていました。その国の美術界の頂点に立っていた国吉が、多少のプライドを持っていても不思議ではありません。また、自分の行動が正しくまっとうなものであるという自負心は誰もが持っていて、そうした自負が画家という職業を成り立たせているのですが、画家はしばしば同業異種の人を区別し差別し合うような所が多く見受けられます。

国吉はこうした情況の中ではきわめて冷静であり、一歩引いた形で、しかし自分が感じている一部の抽象表現主義に対する危惧については、はっきりと述べていると言っていいでしょう。

しかし、国吉が警鐘を鳴らしているのは、後に抽象表現主義という言葉で一括りにされた様々な当時の潮流の全てに対してではない事に注意をしておきましょう。そしてまた、国吉は制作者である画家や彫刻家に対してだけ言っているのではなく、鑑賞者である美術愛好家に対して講演をしていたのだという事も心に留めておかなければなりません。晩年の国吉を理解しようとする時、特に抽象表現主義と対峙した具象派の代表という目で国吉を評価しようという傾向があります。これはアメリカにも日本にも共通してみられる傾向です。確かに保守と革新、旧世代と新世代といった見方から、第二次世界大戦後のアメリカ美術界を見れば、わかりやすく単純化できる部分もあります。しかし、その時代をリードしてきた国吉をそんなに簡単な図式の中に閉じ込めてしまうのは、正しい評価だとは言えません。

　国吉に限らず、画家が理論や美学をいくら述べたとしても、実際の作品にその言葉を裏付ける証拠がない限り、それは単なる言葉にしか過ぎません。次々にあらわれてくる価値観の違ったアーティスト達の饒舌な論理と、目を見張るような新しい創造の世界を前にすれば、国吉の言っている事はまるで鈍牛の歩みに似たような印象を与えます。しかしまた西洋の伝統的な技法に裏打ちされた具象の画家の理論的展開がまどろっこしいからといって決して無視はできません。国吉は、ゆっくりと、しかし着実に自分の美学を確立して行き、一九四八年以降色彩において大きな変化を示しました。そして色だけでなく、形においても国吉がひそかに試みていた事があるのを、作品が示しています。

　それは一九五一年の『通りの向側』（カラー図版76）という小品に見られる幾何学的構図の試みです。作品はタイトルの示すように街の風景を描いたものですが、その構図は国吉がそれまで試みた事のない、線で区切られた色面の集合という構成になっています。丁度同じ頃、国吉が行った講演で、オランダ生まれのモンドリアンは、全ての物を四角に描く、それはオランダでは全ての物が四角に出来ているからだ、と冗談まじりに述べています。しかし国吉が本当は真面目に幾何学的色面構成による抽象画について考えていた事が、この作品からうかがえると思います。

先に引用したように、国吉は起こりつつある新しい潮流に対して警告を発したり、注意を促したりはしましたが、一つの考えに凝り固まったり、他を排斥するような事を言ったりはしていません。国吉はきわめて冷静で公平な人であったと言えるでしょう。その事を示す一例として、一九五二年五月に東京で開催された『国際美術展』について少し紹介しておきましょう。

毎日新聞社が主催したこの美術展は、戦後はじめての世界の美術事情を日本に紹介するもので、アメリカ部門の構成は、アメリカン・フェデレーション・オブ・アーツに委嘱されました。フェデレーションは、この仕事を国吉に依頼して、結局国吉は、画家の選択から作品の選出までを取り纏めました。アメリカの現代美術を公平に選び出すという仕事は大変に難しい作業です。ともすれば選者の好みと傾向があらわれる事になり勝ちですが、国吉が選んだ十八名の画家は当時のバランスをうまく反映した良い人選だったと言えます。そこには五名の抽象表現主義のカテゴリーに入る画家が選ばれています。すなわち、ウイリアム・コングドン、ジャクソン・ポロック、アドルフ・ゴットリブ、ソニア・セクラ、ブラッドリー・

ウォーカー・トムリンの五名です。ポロックとゴットリブ以外は日本ではその名を知る人はあまりいないでしょうが、いずれも若くてエネルギーに溢れた制作をしていた人達です。十八名中五名が抽象表現主義の画家であったという比率は、今から見れば少ないように思われるかもしれませんが、当時のアメリカ美術界のバランスから言えば、むしろ多いと言ったほうが良いかもしれません。

ともあれ、ここに見られるように、国吉は決して新しい傾向に対して保守的であったのではなく、彼の言う「人間性」という尺度から計って、アメリカを代表すべき画家だと思う人の作品はきちんとした評価をしているのです。この展覧会によって日本にはじめてポロックやゴットリブ達の作品が紹介され、日本の鑑賞者達が直接作品の前に立つ事ができた事は、国吉のお陰だと言わなくてはなりません。私はこうした面での国吉の貢献についても思いを馳せておきたいものだと思っています。

『国際美術展』を主催した毎日新聞社は、国吉に日本での回顧展の開催の打診も行い、国吉は同意して準備にとりかかりました。また、一九五二年には、ヴェネツィア・ビエンナーレのアメリカ代表にも選出されて、十六点の作品をイタリアに送り出しています。アメリカ代表という名誉は国吉をとても喜ばせましたし、その事に異論をさしはさむ人はもういませんでした。

こうした国際的な舞台に活躍の場を移しつつあった国吉でしたが、健康状態は良くありませんでした。絶えず腹痛に悩まされ、集中力を持続できない事が多くなります。そしてついに病院に入院してしまいます。サラには癌が告知されましたが、国吉は胃潰瘍だと教えられていました。ベッドに横になりながらも国吉はスケッチブックを離しませんでした。油彩が描けなければ、クレヨンや鉛筆で、そして墨で自分の美学を求め続けました。

こうして死に至るまで描く事をやめなかった国吉は、描くという事は、形を描く事であるという信念を動かす事はありませんでした。少なくとも残された作品には、対象物や想像や印象を形としてとらえたものしかありません。描くという事は形を描く事だ、というテーゼは動かせないものでした。このテーゼのもとに、国吉は色面構成による美学の確立を試みていたのです。

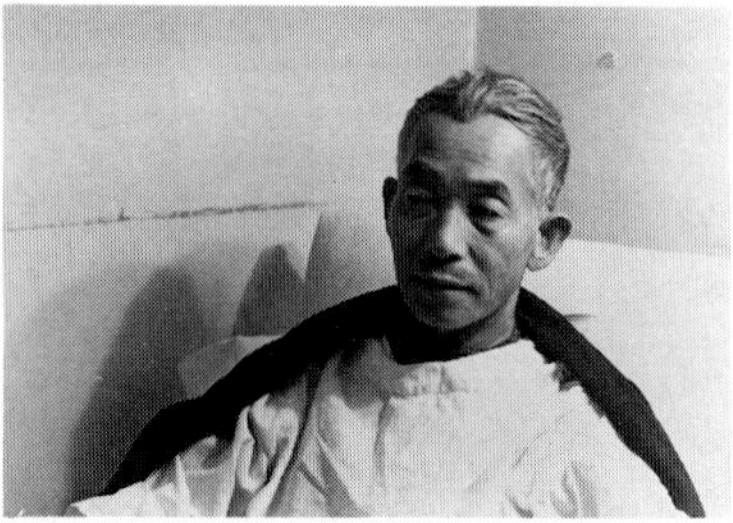
病院のベッドで（1953年）

一九五三年五月十四日、国吉は帰らぬ人になりました。国吉が明るい多色面構成のカンバスをさらにどのように変化させようとしていたのかは誰にもわかりません。形から離れる事がなかった国吉が、あるいは形から自由になっていたかもしれないし、インプロヴィゼーションの要素を重視するようになっていたかもしれません。さまざまな可能性を考える事はできると思います。そして国吉が作品に託して何を表現しようとしていたかについて、もう一度資料を読み返す時、私達はとても考えさせられるスピーチ原稿に出会います。それは一九五一年十月十七日の午後、ニューヨークのラジオ局WNYCで放送したスピーチの原稿ですが、おそらくこの文章を読めば、国吉が表現しようとしていたものがうっすらとでも浮かび上がってくるのではないかと思います。私はこのスピーチの中の国吉の言葉を引用する事で、この本の締め括りにしておきたいと思います。

「私達が西洋に目を向けているのは自然な事であり、私達の文明が西洋を基準にしているのも当然の事であります。私達の美術を評価するのに、西洋文化を理解し学ぶ事も当たり前の事だと思います。しかし私はアメリカが西洋文化の中に不朽の創造の生気を見出そうとする努力を欠いているように感じるのです。私は、ユニヴァーサリティーと人間性にかかわったものを基本にした、内的なものの表現を、美術の中に、内容として見出したいのです。

東洋の美術には、静穏、単純さ、そして内的生命があります。全ての偉大な西洋美術にも、同じ様にこうした要素があります。しかしながら、アメリカ美術の現時点では、私達は東洋に目を向ける事によって、より多くのものを学べると私は思うのです。東洋に、私達は美術の最も高度な表現をつくり出す、絶対的な価値に到達する事を可能にする精神的なイデオロギーを発見するでありましょう。アメリカの活力とこの東洋の精神が一緒になれば、私達の美術は大いに活気づけられる事でしょう。」

エピローグ

　国吉康雄が死去してから四十年以上が過ぎました。彼の死後、アメリカ絵画の流れはどんどん大きくなり、ニューヨークは世界の美術の中心になって行きました。あまりにも目まぐるしく、力強い創造エネルギーのために、そこに至るまでのアメリカ美術の流れは、ともすれば無視されたり、あるいはアメリカ美術は第二次世界大戦後に、降ってわいたように出現したと思っている人達さえも少なくありません。

　しかしどんな国のどんな美術潮流にも、それがある日突然に現れたり、ある芸術家が、一日にして創造的制作をするといった事はありません。もしそんな風に見える事があったとしても、それはそんな風に見えただけであって、植物に根があるように、美術の潮流にも個人の創造にも、必ずルーツがあるはずです。それが人間が生きるという事の、必然的な条件として存在する「時間」というものの在り方であり、時間の積み重ねとしての「歴史」というものだと思います。アメリカの美術をどう見るか、その歴史をどのように評価するか、については さまざまな考え方と方法がありますが、大切な事は、先入観や偏見を持って資料を読んだり、美術作品を評価してはいけない、という人文科学の基本的態度を確認する事だと思います。

　アメリカ美術が第二次世界大戦後、まるで降ってわいたように圧倒的な迫力を持って日本の美術愛好家の前に出現した事は事実です。しかし戦後五十年経過した今日、私たちは、本当にそんな形でアメリカ美術が生まれたのかどうかを再考するべき時が来ていると思います。その為には当時の戦勝国アメリカと敗戦国日本との関係や、アメリカとヨーロッパ各国との関係などを、もう一度バランス的に考え直してみなければならないと思います。

日本が敗戦国として復興を始めた時、連合軍の一員として実質的に日本を占領し、支配していたアメリカが、軍事的、経済的優位だけでなく、文化的にもアメリカ「文化」を誇らしく掲げたかったと考えてもおかしくはありません。ハリウッド映画、ジャズやロックンロールといった音楽、チューインガムやコカコーラなど、書き出せば切りがないほど沢山のものがアメリカから日本へ流れ込んできました。

私たち日本人の大半は、第二次世界大戦後にアメリカから、占領とともにどっと流れ込んできた物質文明の多くと「文化」を受容して、その中で生活してきました。戦後の日本はある意味で、アメリカのそうした文化を咀嚼し、自己のものとして、日本化して来たと言っても良いかもしれません。一方物質的にはアメリカと日本は、自動車や電化製品のように模倣と創造の関係を繰り返しながら交流を続けて来たと言っても良いでしょう。

国吉康雄の作品は、こうした日本とアメリカの関係の中で、アメリカが発信しないままに、そして日本が受信しないままに終わってしまった文化現象の一つだと言えます。つまり、戦後アメリカが日本のみならず全世界に対して誇りを持って発信したアメリカ美術は、抽象表現主義の、あくまで大きく迫力ある作品群でした。アメリカにとって、軍事力や経済力とともに、ヨーロッパの「伝統」に負うところが少なく、メード・イン・アメリカの文化だと誇れるものは、ハリウッド映画やジャズやブルースとともに絵画ではまさに起こりつつあった抽象表現主義の作品群でした。アメリカはこれを紹介するのに何の遠慮もいらず、自信と誇りを持って、アメリカ文化として発信しました。

アメリカは第二次世界大戦後の世界で、政治・経済・文化のどの面でもリーダーでありたく思い、リーダーになれる分野を強調して誇示しようとしたのです。そのためには、ヨーロッパに多くを負っていて、アメリカ自身が劣等感を持っていた文化の面では、歴史を語らずに現象を示した方が有効であったと言えます。その一方、ヨーロッパから学び、次第にアメリカ本来のものを生み出しつつあった同じくメード・イン・アメリカの具象の画家達の作品は、あえて紹介される事なく終わってしまう事になったのです。

国吉康雄は、こうした事情の下で、彼のアメリカ美術で果たした役割を、正当に評価されないままに長い時間を過ごす事になりました。彼に限らず、一九二〇年代から一九五〇年代の具象派の画家はアメリカがアメリカのものとして誇る要素が少ないという理由で日陰者扱いを受けたのです。しかしこうした扱いも、だんだんと変わってきています。今世紀の終りに向かって、アメリカでは、国吉を含む具象派の再評価をする歴史観や美術評論が力をつけてきています。また同じ様に抽象表現主義の画家達についても、メード・イン・アメリカという座標軸からだけではなく、さまざまな視点からの研究が出てきています。戦後五十年という時間は、かつて無批判に賞賛されたものの再吟味と、きちんとした認知を受けることなく忘れ去られたものの再評価という、歴史的な価値観の転換を呼び起こしているのです。

私は一九七四年に『評伝　国吉康雄』（新潮社）を書きました。この本は、一九九一年にベネッセコーポレーションから福武文庫の一冊として再版され、今も書店に並んでいます。本書とともにぜひ御一読いただきたいと思います。この本を書いた詳しい事情は「あとがき」に記しましたので繰り返しませんが、この本が出版された直後から、日本にはおびただしい数の国吉作品がアメリカから渡って来ました。しかし、同時代のアメリカ人画家の作品には、そんな現象は起こりませんでした。つまり国吉康雄という日本名を持つアメリカ人画家の作品は、美術作品としてではなく投機商品としての価値をつけられたのです。こうして国吉康雄は、アメリカ美術史での位置付けも曖昧にされたまま、きわめて不可思議で不安定な状態で日本に登場しました。それが、今も国吉は理解が難しい画家とされる理由なのです。

西洋の精神的風土が、画家国吉の感性・芸術性を育む土壌でした。西洋文化の十分な栄養を得て育った国吉の創造力は、現代美術の世界を飛翔します。高く高くはばたき舞い上がります。アメリカ国内からはもとより、ヨーロッパからも、彼の創造力が高く遠くにまで及んでいるのが見えるようになります。

国吉自身も、多くの先生や友人達の助けを借りて創造の空へ飛び立ってから、自分がどんどんと舞い上がり、次々と未知の高さに到達して行くのを自覚して行きます。そして、高く高く舞い上がって、ふと自分が出発した場所を振り返り、さらに視界に入る世界を見渡した時、東洋の精神的風土を発見した、というのが国吉の美学的思索の遍歴だと言えるでしょう。

私がこの本のタイトルに飛翔という言葉を使ったのは、国吉の美学と創造力がたぐいまれなエネルギーとオリジナリティーを持っている事を示したいからです。

国吉は十七歳までを岡山で過ごしました。少年期から青年期の国吉の精神的風土は東洋にありました。この頃の国吉をはぐくんだ東洋の精神的風土は、しかし芸術家国吉の感性と創造力にはそれほどの意味はありません。また国吉自身も、東洋の精神的風土がどういうものであり、どのように自分と関係するのかという事について考えたりはしませんでした。

しかし第二次世界大戦後、国吉は自分の美学と創造に、東洋の精神的風土から得られるものを取り入れて行きます。それは国吉にとって、肉体的には西洋にとどまりながら、飛翔した精神が東洋に回帰をしたと言う事もできると思います。しかし、国吉の回帰はただ単なる回帰ではなく、それはあたかも芸術的創造の未知の高さへ上昇しながら、螺旋状に弧を描いた回帰であり、決して十七歳までを過ごした日本の、あるいは東洋の精神的風土の同一地点への回帰ではありません。それはアイデンティティーの確認ではあっても、決して望郷の念とか、祖国愛とかいった観念とは無縁のものであったのです。国吉の関心はむしろ戦後のアメリカの時代思潮としての東洋への着目と結びつけて考えられるべきものであり、その事は、当時の抽象表現主義の画家達の多くが、国吉と同じように東洋の精神的風土、特にインドや中国の哲学に多くの啓示を得ていた事からも時代の思想として理解できると思います。

国吉は日本生まれのゆえに、この点でも誤解を受けやすいと思います。しかし、十七歳の少年の中に、芸術の精神的な糧としての東洋思想があり、そこへ六十歳になった国吉が回帰したという説明には少なからず無理が生じると思います。国吉の没後残された書籍には日本に関係のあるものはごく僅かしかありません。逆に晩年、国吉が繰り返し読んだ本がアラン・ワッツの『禅の精神』であった事は、国吉の東洋がアメリカ人芸術家の間でポピュラーになっていた時代思潮であった事を象徴していると思います。国吉康雄は、アメリカ人画家なのです。

この本を読んで下さっている方々に、私は言わずもがなの事をくどくどと書いていると思われるかもしれません。しかし、こうした形で、はっきりと国吉を日本人の感覚や予断から評価する視点を捨て去る事によって、国吉の偉大さがより大きく、はっきりと理解できるようになり、また、アメリカ人画家として理解した方が親しみを増してくると思うのです。

国吉は決して「兎追いしかの山、小鮒釣りしかの川・・・・」（『故郷』）といった感情で日本を思った事もなければ、そうした感性をベースにして作品を制作した事もありません。また同時に、「グリーン・グリーン・グラス・オブ・ホーム・・・・」（『思い出のグリーン・グラス』）といった感情をアメリカに持った事もありません。国吉は、アメリカで、ヨーロッパ各地を流浪したユダヤ人の子孫達とコミュニティーを作り、そこで育まれた西洋の精神的風土を基盤として創作活動を行い、晩年にはさらに東洋の精神にも興味と可能性を見いだした、とても強靱な精神とたぐいまれな感性を持った画家でした。国吉にとって日本あるいは東洋は、国吉の友人のユダヤ系アメリカ人芸術家達にとって、イスラエルが心の故郷であるのと同じ意味をしか持っていないのです。

私が本書を書いたのは、今まで述べたような事情も含めて、国吉康雄の作品の近くに生活しておられる方々に、少しずつこの偉大な画家について理解し、作品を楽しんでいただきたいからです。またアメリカという国が決して突然に文化の面で力を持って現れたのではなく、それなりの歴史を持ち、独自の道を歩んで来た結果が、第二次世界大戦後の世界で大きな勢力を持つに至ったのだ、という流れの中で理解してほしいと願うからでもあります。それは、ただ単にアメリカ美術を知るという事ではなく、もっと大きな視点からアメリカという国の文化を考えてほしいという事でもあります。

本書を書くに際しては、国吉に関係する資料は、『評伝　国吉康雄』に引用した資料以外のものを用いるように心掛けました。使った資料は国吉康雄美術館のベネッセ国吉康雄資料コレクションに収蔵され、一部のものを除いて一般公開されています。興味のある方は一度原資料に当たってみて下さい。コレクションの中核をなしているのは、アメリカのスミソニアン協会アーカイヴス・オブ・アメリカン・アート所蔵の国吉資料（国吉未亡人寄贈の国吉自身が残した資料、ホイットニー美術館並びにダウンタウン画廊の記録、国吉の友人画家達のファイルに含まれている国吉関係資料など）で、国吉康雄美術館がアーカイヴスの協力を得て収集・公開しているものです。アメリカ研究という学問分野は、アメリカ人が、自分達の国や文化についてよりよく知ろうとして始めた学問です。私は本書で、国吉を通してこうしたアメリカ研究の学問的方法を用いて、アメリカ人としての国吉康雄を書こうと試みました。

本書に挿入した作品の図版については、岡山県立美術館、大原美術館、両備文化振興財団、ベネッセコーポレーションの国吉康雄美術館、シンシナティ美術館、国吉作品のコピーライト継承者サラ・クニヨシ夫人（©Estate of Yasuo Kuniyoshi/VAGA, New York & SPDA, Tokyo 1996）の御協力を得ました。挿入写真はサラ夫人が本書のために送ってくださったものです。また、本書は「国吉康雄の会」のご尽力で出版の運びとなりました。皆様に厚く御礼を申し上げます。最後に、本書を書くに当たって、あらゆる面で援助をしてくれた妻の律子に感謝をしたいと思います。彼女は私と知り合って以来、四分の一世紀以上にわたって、根気よく私と国吉に付き合い、ともに考え、語り合ってくれています。サラ夫人と手紙や電話でこまめに連絡を取り、国吉康雄美術館のキュレーターとして、国内はもとより米国各地の美術館と交流を深め、今では私よりもずっと密接に国吉に関わり合っています。そんな律子に、私はこの本を卒業論文を提出する学生のような気持ちで捧げたいと思います。

図65　恋人たちの道　Lover's Pike　1946　油彩　68.5 × 111.7cm.
図66　ここは私の遊び場　This Is My Playground　1947　油彩　68.5 × 112.0cm.
図67　祭りは終わった　Festivities　Ended　1947　油彩　100.0 × 176.0cm.　岡山県立美術館蔵
図68　今日はマスクをつけよう　I Wear a Mask Today　1946-47　ワックス　31.0 × 23.0cm.
図69　夢　Dream　1948　カゼイン　76.2 × 51.0cm.
図70　安眠を妨げる夢　Disturbing Dream　1948　カゼイン　50.8 × 76.2cm.
図71　仮面　Mask　1948　石版リトグラフ　37.8 × 26.7cm.　ed.100　両備文化振興財団蔵，国吉康雄美術館蔵
図72　カーニバル　Carnival　1949　石版リトグラフ　39.7 × 24.8cm.　ed.235　両備文化振興財団蔵，国吉康雄美術館蔵
図73　鯉のぼり　Fish Kite　1950　油彩　76.5 × 125.7cm.
図74　舞踏会へ　To the Ball　1950　カゼイン　50.5 × 35.5cm.
図75　自転車に乗った手品師　Bicycle　Juggler　1951　カゼイン、オイルクレヨン、インク　60.0 × 46.0cm.
図76　通りの向側　Across　the　Street　1951　カゼイン　30.2 × 50.6cm.
図77　ミスター・エース　Mr. Ace　1952　油彩 117.0 × 67.0cm.

所蔵館名無記載の作品は国吉康雄美術館蔵（ベネッセコレクション）

図41 タスコ、メキシコ Taxco,Mexico 1935 石版リトグラフ 27.6 × 36.2cm. ed.35 両備文化振興財団蔵，国吉康雄美術館蔵
図42 カフェNO.2 Café No.2 1935 石版リトグラフ 31.8 × 25.1cm. ed.100
図43 バンダナをつけた女 Girl Wearing Bandana 1936 油彩 86.8 × 64.3cm.
図44 海岸の板敷遊歩道にて From the Boardwalk 1936 石版リトグラフ 23.5 × 31.4cm. ed.45
図45 西瓜 Watermelon 1938 油彩 101.6 × 142.2cm.
図46 無料宿泊所 Free Lodging 1938 石版リトグラフ 26.0 × 38.1cm. ed.25 両備文化振興財団蔵，国吉康雄美術館蔵
図47 綱渡りの女 Wire Performer 1938 石版リトグラフ 40.3 × 30.2cm. ed.100
図48 自転車乗り Cyclist 1939 石版リトグラフ 31.8 × 22.2cm. ed.250 両備文化振興財団蔵，国吉康雄美術館蔵
図49 逆さのテーブルとマスク Upside Down Table and Mask 1940 油彩 153.0 × 89.5cm.
図50 廃車 Junked Auto 1940 鉛筆 35.2 × 42.9cm.
図51 古い切り株 Old Tree Stump 1940 鉛筆 34.9 × 42.5cm.
図52 ゴーストタウン Deserted House,Ghost Town 1941 鉛筆 34.9 × 42.5cm.
図53 カウボーイ Bronco Buster 1941 鉛筆 35.2 × 42.9cm.
図54 ヴィクター、コロラド Victor, Colorado 1941 鉛筆 35.2 × 43.2cm.
図55 風景（コロラド） Landscape 1941 ガッシュ 25.1 × 40.3cm.
図56 くつろぎ Relaxation 1942 油彩 40.8 × 30.2cm.
図57 スージー Susie 1943 カゼイン 25.3 × 20.4cm.
図58 制作中 At Work 1943 カゼイン 48.6 × 35.8cm.
図59 夜明けが来る Dawn Is Coming 1944 油彩 90.0 × 67.0cm. 岡山県立美術館蔵
図60 友達 A Friend 1944 鉛筆 55.5 × 40.5cm.
図61 跳びあがろうとする頭のない馬 Headless Horse Who Wants to Jump 1945 油彩 143.5 × 88.9cm. 大原美術館蔵
図62 二匹の犬のいる風景 Landscape with Two Dogs 1945 油彩 27.0 × 47.0cm.
図63 少女よお前の命のために走れ Little Girl Run for Your Life 1946 カゼイン 35.5 × 50.8cm.
図64 牛と少女 Cow and Girl 1946 ガッシュ 163.7 × 250.0cm. 岡山県立美術館蔵

図22　ロバのいる風景　Landscape with Donkey　1928　油彩　75.5 × 105.6cm.　岡山県立美術館蔵
図23　身支度する女　Girl Dressing　1928　石版リトグラフ　32.4 × 21.9cm.　ed.30　両備文化振興財団蔵
図24　踊り　Dancing　1928　石版リトグラフ　29.2 × 25.7cm.　ed.30　両備文化振興財団蔵，国吉康雄美術館蔵
図25　闘牛　Bullfight　1928　石版リトグラフ　22.9 × 23.5cm.　ed.41
図26　風景、パリ（セーヌ川のほとり）　Landscape, Paris (On the Seine)　1928　石版リトグラフ　21.6 × 29.2cm.　ed.26　両備文化振興財団蔵
図27　花瓶の花　Flowers in a Vase　1930　油彩　97.3 × 63.7cm.
図28　椅子の上のロールパン　Rolls on a Chair　1930　油彩　76.7 × 61.4cm.
図29　サーカスの玉乗り　Circus Performer Balanced on a Ball (Circus Ball Rider)　1930　石版リトグラフ　35.9 × 26.0cm.　ed.100
図30　休んでいるサーカスの女　Circus Girl Resting　1931　油彩　101.5 × 165.5cm.
図31　嵐　The Storm　1931　石版リトグラフ　22.5 × 29.8cm.　ed.15
図32　日本の張り子の虎とがらくた　Japanese Toy Tiger and Odd Objects　1932　油彩　85.3 × 125.7cm.
図33　出演前　Before the Act　1932　石版リトグラフ　33.3 × 24.8cm.　ed.40　両備文化振興財団蔵
図34　彫刻の流し型の上にある葡萄　Grapes and Sculpture Mold　1933　石版リトグラフ　25.1 × 29.5cm.　ed.30　両備文化振興財団蔵，国吉康雄美術館蔵
図35　羽根帽子をかぶったサーカスの女　Circus Girl with Plumed Hat　1933　石版リトグラフ　32.1 × 24.1cm.　ed.25　両備文化振興財団蔵，国吉康雄美術館蔵
図36　バーレスクの女王　Burlesque Queen　1933　石版リトグラフ　29.8 × 24.4cm.　ed.25　両備文化振興財団蔵，国吉康雄美術館蔵
図37　カフェ　Café　1934　石版リトグラフ　25.4 × 20.0cm.　ed.25
図38　造花　Artificial Flower　1934　石版リトグラフ　41.3 × 26.0cm.　ed.30　両備文化振興財団蔵，国吉康雄美術館蔵
図39　もの思う女　Girl Thinking　1935　油彩　127.2 × 101.8cm.
図40　デイリー・ニュース　Daily News　1935　油彩　127.0 × 83.8cm.　Cincinnati Art Museum, The Edwin and Virginia Irwin Memorial

収録図版リスト

図1　路傍の人たち（難民）　People at Roadside（Refugees）　1916-18年頃　ドライポイント　7.5 × 10.2cm.　ed.1　両備文化振興財団蔵
図2　ネックレスを付けた女　Woman with Necklace　1916-18年頃　ドライポイント　12.4 × 8.6cm.　ed.1　両備文化振興財団蔵
図3　足に手を付ける左向きの裸婦　Nude Touching Her Foot,Facing Left　1916-18年頃　エッチング　5.1 × 6.8cm.　ed.8　両備文化振興財団蔵，国吉康雄美術館蔵
図4　自画像　Self-Portrait　1918　油彩　51.0 × 41.0cm.
図5　坐る裸婦　Seated Nude　1918　油彩　41.0 × 46.0cm.
図6　ピクニック　Picnic　1919　油彩　76.5 × 91.5cm.
図7　果物のある静物　Still Life　1920　油彩　51.0 × 61.3cm.
図8　漁村の風景　Fishing Village　1920　油彩　41.0 × 31.5cm.
図9　鶏小屋　Chicken Yard　1921　油彩　51.0 × 41.0cm.
図10　野性の馬　Wild Horses　1921　油彩　51.0 × 76.3cm.
図11　カーテンを引く子供　Child　1922　油彩　56.5 × 38.5cm.　岡山県立美術館蔵
図12　二人の赤ん坊　Two Babies　1923　油彩　76.2 × 61.0cm.
図13　水難救助員　Life Saver　1924　油彩　76.5 × 63.5cm.
図14　岩の上に坐る水着の女（幸福の島）　Bather on a Rock（Island of Happiness）　1924　亜鉛版リトグラフ　27.3 × 19.7cm.　ed.10　両備文化振興財団蔵，国吉康雄美術館蔵
図15　リトルジョー（農場で働く少年）　Little Joe（Farm Boy）　1924　亜鉛版リトグラフ　17.8 × 13.0cm.　ed.10　両備文化振興財団蔵，国吉康雄美術館蔵
図16　化粧　La Toilette　1927　油彩　91.5 × 76.5cm.
図17　乳しぼり　Milking the Cow　1927　石版リトグラフ　21.9 × 26.0cm.　ed. 約50　両備文化振興財団蔵，国吉康雄美術館蔵
図18　梨、葡萄、桃　Pears,Grapes,and Peach　1927　亜鉛版リトグラフ　40.6 × 32.1cm.　ed.50
図19　南瓜　Squash　1927　亜鉛版リトグラフ　25.4 × 22.9cm.　ed.50　両備文化振興財団蔵，国吉康雄美術館蔵
図20　三人の踊り子　Three Dancers　1927　亜鉛版リトグラフ　30.8 × 26.4cm.　ed.50　両備文化振興財団蔵，国吉康雄美術館蔵
図21　牛のいる風景　Landscape with Cow　1927　亜鉛版リトグラフ　26.4 × 35.6cm.　ed.50　両備文化振興財団蔵

著者略歴

小澤善雄（おざわ・よしお）

1942年（昭17）生まれ。

同志社大学文学部卒。

米国アーモスト大学卒。

同志社大学大学院文学部博士課程終了。

1971年より1977年までマサチューセッツ州立大学助教授として比較文化学を教える。1980年より日米両国で，音楽・美術のプロデューサー活動をはじめレコード，コンサート，美術展等の企画・制作を行う。『評伝　国吉康雄』著者。現在国吉康雄美術館顧問。京都市在住。

岡山文庫　181　飛翔と回帰　国吉康雄の西洋と東洋

平成８年７月27日　発行

定価　750円（本体728円）

著　者　小　澤　善　雄
発行者　渋　谷　通　夫
印刷所　凸版印刷株式会社
発行所　岡山市伊島町一丁目4-23　**日本文教出版株式会社**
電話岡山（086）252-3175㈹　振替01210-5-4180（〒700）

ISBN4-8212-5181-7

●岡山県の百科事典

二百万人の

岡山文庫

1. 岡山の植物・西原礼之助
2. 岡山の祭と踊・神野 力
3. 岡山の焼物・桂 又三郎
4. 岡山の古墳・鎌木義昌
5. 岡山の民家・鶴藤鹿忠
6. 岡山の文学碑・山本遺太郎
7. 岡山の仏たち・脇田秀太郎
8. 岡山の動物・松本邦夫
9. 岡山の鳥・杉 鮫太郎
10. 大原美術館・藤田慎一郎
11. 岡山後楽園・宗定克則 杉 鮫太郎
12. 岡山歳時記・吉岡三平
13. 岡山の建築・巌津政右衛門
14. 瀬戸内海・緑川洋一
15. 岡山の民芸・外村吉之介
16. 吉備路・神野 力
17. 岡山の魚・青木五郎
18. 岡山の昆虫・倉敷昆虫同好会
19. 岡山の城と城址・藤井 駿 市川俊介
20. 岡山の果物・三宅忠一
21. 岡山の風物・岡山県広報協会
22. 吉備の女性・吉岡三平
23. 岡山の伝説・立石憲利
24. 岡山の酒・小出 巌 西原礼之助
25. 岡山の街道・山陽新聞社
26. 岡山の絵画・脇田秀太郎 巌津政右衛門
27. 水島臨海工業地帯・平方与平
28. 岡山の旅・岡山県観光連盟
29. 蒜山高原・二若・富国・徳山
30. 岡山の歌謡・英 玲二
31. 岡山の遺跡めぐり・間壁忠彦・葭子
32. 備前焼・藤原 雄 小山富士夫 中村昭夫
33. 岡山文学風土記・大岩徳二
34. 美作路・小山健三
35. 岡山の俳句・塩尻青笳 島津青沙
36. 岡山音楽夜話・保田太郎
37. 閑谷学校・巌津政右衛門 坂本一夫
38. 岡山の川柳・弓削川柳社
39. 岡山の民話・岡山民話の会
40. 岡山の刀剣・小林種次
41. 岡山の短歌・杉 鮫太郎 藤原幾太
42. 岡山の医学・中山 沃
43. 岡山の藺草・鈴木尚夫 中村昭夫
44. 岡山の人物・黒崎秀明
45. 岡山の駅・難波数丸
46. 岡山の現代詩・坂本明子
47. 岡山の交通・藤沢 晋
48. 岡山の教育・秋山和夫
49. 備中神楽・山根堅一 坂本一夫
50. 岡山の民具・鶴藤鹿忠
51. 岡山の宗教・長光徳和
52. 吉備津神社・藤井 駿 坂本一夫
53. 岡山の貨幣・原 三正
54. 岡山の古戦場・多和和彦
55. 岡山の石造美術・巌津政右衛門
56. 岡山の方言・十河直樹
57. 岡山の歴史・柴田 一
58. 岡山事物起源・吉岡三平
59. 高梁川・宗田克巳
60. 岡山の干拓・吉岡三平・進昌三
61. 岡山の電信電話・萩野 秀
62. 吉備高原・宗田克巳
63. 岡山のおもちゃ・吉永義光
64. 吉井川・宗田克巳
65. 岡山の港・巌津政右衛門
66. 岡山の絵馬と扁額・脇田秀太郎
67. 旭川・宗田克巳
68. 岡山の温泉・石井猛・圓堂稔
69. 岡山の県政史・蓬郷 巌
70. 岡山の道しるべ・巌津政右衛門
71. 岡山の笑い話・稲田浩二・和子
72. 美作の歌舞伎芝居・二宮朔山
73. 岡山の民間信仰・三浦秀宥
74. 岡山の奇人変人・蓬郷 巌
75. 岡山の食習俗・鶴藤鹿忠
76. 岡山の明治洋風建築・中力 昭
77. 山陽路の地理散歩・宗田克巳
78. 岡山の風俗・蓬郷 巌
79. 岡山の海藻・大森長朗
80. 岡山の書・佐藤英夫
81. 岡山浮世噺・岡 長平
82. 岡山の神社仏閣・市川俊介
83. 中国山地・三浦秀宥 竹内平吉郎
84. 岡山の島・巌津政右衛門
85. 岡山の山と峠・宗田克巳
86. 吉備の石ぶみ・井上雄風
87. 岡山の怪談・佐藤米司
88. 岡山の自然公園・山陽カメラクラブ
89. 岡山の漁業・西川 太
90. 岡山の天文気象・石田五郎 佐橋 謙
91. 岡山の郵便・萩野 秀
92. 岡山の鉱物・沼野忠之
93. 岡山のふるさと村・巌津政右衛門
94. 岡山の経済散歩・吉永義光
95. 岡山の庭・山本利幸 前田勝也
96. 岡山の匠・浅原 健
97. 岡山の童うたと遊び・立石憲利
98. 岡山の衣服・福尾美夜

99. 岡山の民俗・土井卓治・佐藤米司・鶴藤鹿忠
100. 岡山の樹木・西原礼之助・古屋野寛
101. 岡山と朝鮮・西川宏
102. 岡山の和紙・臼井英治
103. 岡山の艶笑譚・立石憲利
104. 岡山の文学アルバム・山本遺太郎
105. 岡山の映画・松田完一
106. 岡山の石仏・厳津政右衛門
107. 岡山の橋・宗田克巳
108. 岡山のエスペラント・岡一太
109. 岡山の狂歌・蓬郷巌
110. 百間川・岡山の自然を守る会
111. 夢二のふるさと・真田芳夫・葛原茂樹
112. 岡山の梵鐘・川端定三郎
113. 岡山の演劇・山本遺太郎
114. 岡山話の散歩・岡長平
115. 岡山地名考・宗田克巳
116. 岡山の戦災・野村増一
117. 岡山の町人・片山新助
118. 岡山の会陽・三浦叶
119. 岡山の石・宗田克巳
120. 岡山の滝と渓谷・川端定三郎
121. 岡山の味風土記・岡長平
122. 目でみる岡山の明治・厳津政右衛門
123. 岡山の散歩道東西・佐藤米司
124. 目でみる岡山の大正・蓬郷巌
125. 児島湾・同前峰雄
126. 岡山の庶民夜話・佐上静夫
127. 岡山の修験道の祭・川端定三郎
128. 目でみる岡山の昭和I・蓬郷巌
129. 岡山のふるさと雑話・佐上静夫
130. 岡山のことわざ・佐藤・次田・竹内・福尾
131. 目でみる岡山の昭和II・蓬郷巌
132. 瀬戸大橋・OHK編
133. 岡山の路上観察・香川・河原
134. 岡山の相撲・二宮朔山
135. 岡山の古文献・中野美智子
136. 岡山の門・小出公大
137. 岡山の内田百閒・岡将男
138. 岡山の彫像・蓬郷巌
139. 岡山の名水・川端定三郎
140. 両備バス沿線・両備バス広報室
141. 岡山の明治の雑誌・片山・来田・菱川
142. 岡山の災害・蓬郷巌
143. 岡山の看板・河原馨
144. 由加山・原三正
145. 岡山の祭祀遺跡・八木敏乗
146. 岡山の表町・岡山を語る会
147. 逸見東洋の世界・臼井洋輔
148. 岡山ぶらり散策・河原馨
149. 岡山名勝負物語・久保三千雄
150. 坪田譲治の世界・善太と三平の会
151. 備前の霊場めぐり・川端定三郎
152. 藤戸・原三正
153. 矢掛の本陣と脇本陣・武・中山・岡田・池田・柴口
154. 岡山の図書館・黒﨑義博
155. 岡山の戦国時代・松本幸子
156. 岡山の資料館・河原馨
157. カブトガニ・惣路紀通
158. 正阿弥勝義の世界・臼井洋輔
159. 木山捷平の世界・定金恒次
160. 岡山の備前ばらずし・窪田清一
161. 良寛さんと玉島・森脇正之
162. 備中の霊場めぐり・川端定三郎
163. 岡山の多層塔・小出公大
164. 六高ものがたり・小林宏行
165. 下電バス沿線・下電編集室
166. 岡山の博物館めぐり・川端定三郎
167. 岡山の民間療法(上)・鶴藤鹿忠・竹内平吉郎
168. 吉備高原都市・小出公大
169. 玉島風土記・森脇正之
170. 洋学者箕作阮甫とその一族・木村岩治
171. 夢二郷土美術館・松田基・楢原雄一
172. 岡山のダム・川端定三郎
173. 岡山の森林公園・河原馨
174. 宇田川家のひとびと・水田楽男
175. 岡山の民間療法(下)・鶴藤鹿忠・竹内平吉郎
176. 岡山の温泉めぐり・川端定三郎
177. 阪谷朗廬の世界・山下五樹
178. 目玉の松ちゃん・尾上松之助・中村房吉
179. 吉備ものがたり(上)・市川俊介
180. 中鉄バス沿線・中鉄バス(株)企画部
181. 飛翔と回帰―国吉康雄の西洋と東洋・小澤善雄
182. 岡山の智頭線・河原馨